D0676708

BEAR GRYLLS
MISJAPRZETRWANIE

BEAR GRYLLS
MISJA PRZETRWANIE

GNIEW NOSOROŻCA

Tłumaczenie: Kamil Lesiew

Pascal

Młodym skautom na całym świecie.

Korzystajcie z życia i łapcie wszystkie przygody.

I zawsze postępujcie zgodnie z zasadami skautingu, które

pomogą Wam osiągnąć pełnię możliwości.

Z wyrazami podziwu dla Was wszystkich –

Bear Grylls, naczelny skaut

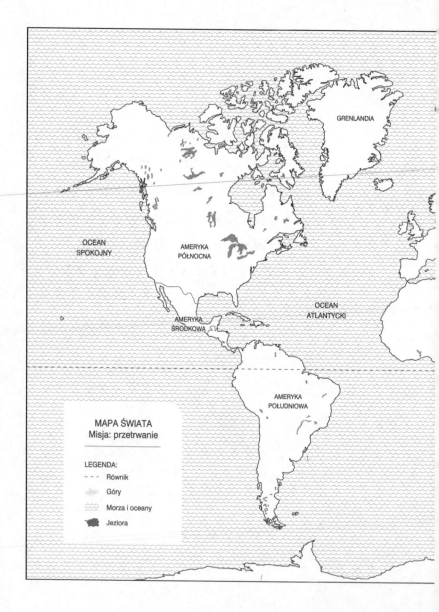

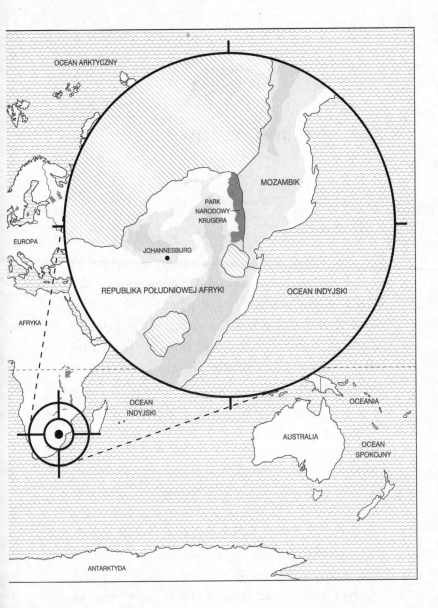

BOHATEROWIE

Beck Granger

W wieku czternastu lat Beck Granger wie więcej na temat sztuki survivalu niż niejeden ekspert wojskowy. Wielu trików gwarantujących przetrwanie nauczył się od rdzennych ludów zamieszkujących najbardziej odległe miejsca na świecie – od Antarktydy po afrykański busz – które odwiedził wraz z rodzicami i wujem Alem.

Wuj Al

Profesor sir Alan Granger jest jednym z najbardziej szanowanych na świecie antropologów. Choć rola jurora w reality show przyniosła mu nieoczekiwaną popularność, dla Becka i tak zawsze pozostanie on po prostu wujem Alem, który woli spędzać czas w laboratorium przy mikroskopie, niż obracać się wśród bogatych i sławnych. Wuj uważa, że cierpliwość to cnota, i wyznaje zasadę „nigdy się nie poddawaj". Przez ostatnich kilka lat był opiekunem Becka, który zaczął go postrzegać jako drugiego ojca.

David i Melanie Grangerowie

Rodzice Becka kierowali operacjami specjalnymi działającej na rzecz ochrony środowiska organizacji Jednostka Zielona. Wraz z Beckiem mieli okazję spotkać ludzi żyjących w najbardziej nieprzyjaznych człowiekowi rejonach świata. Beck wcześnie stracił rodziców, ich awionetka rozbiła się w dżungli. Ciał nigdy nie odnaleziono, nie wyjaśniono też przyczyny wypadku...

Samora Peterson

Dorastając w RPA pod okiem ojca (strażnika w Parku Narodowym Krugera), Samora nie miała innego wyboru, jak posiąść całkiem szeroką wiedzę o dzikich zwierzętach. Poza szkołą zazwyczaj spędza czas z ojcem, badając zwyczaje migracyjne słoni albo pomagając w ochronie nosorożców i innych zagrożonych gatunków zwierząt.

ROZDZIAŁ 1

Pierwszą rzeczą, jaką Beck Granger zobaczył, gdy wszedł do kuchni, była gąsienica. I to olbrzymia. Stanął jak wryty, a potem nachylił się, by ją lepiej widzieć. Nie ruszała się.

Dopiero co przyszedł ze szkoły, zrzucił z siebie plecak, skierował się do kuchni i... zobaczył ją. Gąsienica zajmowała połowę stołu. Była długa jak ramię chłopca, miała grubą i usianą kolcami zieloną skórę. Na jednym końcu uśmiechała się twarz z marcepanu. Beck spojrzał na wujka.

– Ha ha.

– Wiedziałem, że ci się spodoba, Beck!

Wuj Al – dla ludzi spoza rodziny: profesor sir Alan Granger – przyłożył zapałkę do kolców gąsienicy, które zrobiono ze świeczek. Było ich czternaście.

– To na pamiątkę wszystkich owadów, które zjadłeś w ciągu czternastu lat życia.

– Mmm. Dzięki za przypomnienie.

Al zgasił zapałkę machnięciem nadgarstka i objął Becka ramieniem. Chłopiec odwzajemnił uścisk.

– Wszystkiego najlepszego! Szczerze mówiąc, nieraz bałem się, że żaden z nas nie dożyje tego dnia.

Powiedział to żartobliwym tonem, ale Beck wyczuł ukryte za tymi słowami napięcie. Nigdy nie przywiązywał większej wagi do urodzin – one po prostu wypadały same z siebie, jedne po drugich. Ale co racja, to racja: niejeden raz w ciągu tych czternastu lat nie był pewien, czy uda mu się doczekać następnych.

Ostatnio, na przykład, dowiedział się, że na świecie są ludzie, którzy za wszelką cenę starają się nie dopuścić, żeby przeżył choćby do następnego świtu. Może więc faktycznie miał więcej powodów do świętowania niż przeciętne nastolatki.

Właściwe przyjęcie urodzinowe zaplanował na weekend, zapraszając na nie zaprzyjaźnionych rówieśników. Dzisiaj świętowali tylko we dwóch.

Wszystkie świeczki już zapłonęły.

– Pomyśl życzenie – zasugerował Al.

Chłopiec zastanowił się chwilę, a potem nachylił się do tortu i dmuchnął. Świeczki zgasły za jednym zamachem, a Beck pomyślał życzenie: *Proszę, niech koledzy Ala się pospieszą!*

Ostatnie trzy miesiące, które minęły pod znakiem ustabilizowanego trybu życia i udawanej normalności, były dla niego męczarnią. To wtedy wrócił z pamiętnego rejsu po Karaibach, który obfitował w wiele wydarzeń, takich jak zatonięcia statków, wybuchające platformy wiertnicze czy zabójstwa. Beck po raz pierwszy miał okazję poznać ludzi stojących za koncernem, który zamordował jego rodziców i zatruwał mu życie.

Lumos. Tę nazwę znał od dawna. Wcześniej wrzucał tę korporację do jednego worka z wszystkimi innymi wielkimi firmami, które nie mają oporów przed niszczeniem Ziemi, jeśli tylko im się to opłaca. Nie zdawał sobie jednak sprawy, jak bardzo nikczemny jest Lumos – wręcz zepsuty do szpiku kości.

Zrozumiał to, gdy firma nasłała na niego swoją czołową specjalistkę od brudnej roboty. Ich plan się nie powiódł, a Beck wrócił z Alem do Anglii... i siedzieli z założonymi rękami.

Takie przynajmniej wrażenie odnosił Beck. Wiedzieli, co robi Lumos, ale nie mieli niczego na poparcie swoich podejrzeń. Potrzebowali twardych dowodów, które dałoby się obronić w sądzie. A dysponowali jedynie tym, co siedziało w ich głowach.

Al miał znajomości, i to sporo, w ekologicznej grupie zadaniowej o nazwie Jednostka Zielona. Jej aktywiści uwierzyli w jego słowa. Podpowiedział im, gdzie mogą zacząć szukać dowodów przestępczej działalności Lumosu. Tyle że to wszystko wymagało czasu – tak dużo czasu. A Jednostka Zielona miała jeszcze inne projekty, choćby te, do których została powołana, czyli podnoszenie świadomości ekologicznej i zwalczanie przestępstw przeciw środowisku na całym świecie.

Jednostka Zielona nie mogła sobie pozwolić na rzucenie wszystkich środków do walki z Lumosem, jeśli oznaczałoby to odciągnięcie jej od innych zadań. Wszystko to przełożyło się na trzy długie miesiące czekania w niepewności, czy korporacja uderzy ponownie.

Przez jakiś czas Al codziennie przed wyjazdem do pracy zaglądał pod auto w poszukiwaniu bomby. Beck nie chodził do szkoły pod pretekstem choroby. W końcu jednak uznali, że Lumos nie poczynałby sobie aż tak ostentacyjnie. Firma miała własne powody, żeby się nie wychylać i nie ściągać na siebie uwagi – to, że Beck zginąłby nagle tak szybko po ich poprzednim spotkaniu, zaszkodziłoby ich wizerunkowi.

Ostatnim razem, gdy próbowali zabić chłopca, wywabili go poza Anglię. On i Al powinni być więc bezpieczni, jeśli zostaną w kraju.

Beck wrócił więc do szkoły i próbował zachowywać się jak normalny uczeń. Tyle że dla niego „normalność" była czymś w rodzaju osobistego piekła na ziemi.

ROZDZIAŁ 2

– Wygląda na to, że w tym roku dostałeś całe mnóstwo kartek!

Radosny ton Ala wyrwał Becka z zamyślenia. Wuj wręczył mu plik sztywnych kopert. Kiedy chłopiec je przerzucał, zerkał na stemple i znaczki pocztowe, próbując odgadnąć, skąd przyszły.

Znaczek z kangurem i stempel z Australii Zachodniej – łatwizna. To od Brihony, choć kangur wydawał się dziwnym wyborem. Jej specjalnością były krokodyle różańcowe, stanowiące tylko jedno z wielu niebezpieczeństw, z którymi zetknęli się podczas forsownego marszu przez Outback[1]

---

[1] Słabo zaludnione rozległe pustynne, półpustynne lub górzyste obszary środkowej Australii (wszystkie przypisy tłumacza).

w poszukiwaniu starca, który mógł pomóc im w starciu z Lumosem.

Znaczek z Alaski, przedstawiający stado orek nurkujących pod powierzchnię spokojnego zimnego morza, był od Tikaaniego, z którym Beck przemierzył ośnieżone góry, by sprowadzić pomoc dla poważnie rannego Ala. To wtedy po raz pierwszy bezpośrednio zetknął się z Lumosem.

Coś w rodzaju panoramy kolumbijskiej dżungli – to na pewno od Christiny i Marco, bliźniąt, które przeżyły z nim katastrofę statku, a później wędrówkę przez dżunglę śladem narkotykowego bossa.

Wśród kopert była też taka bez znaczka, tylko z odręcznym rysunkiem orangutana, mówiącego: „Cześć, Beck!". Tę osobiście doręczył mu Peter, jego najlepszy przyjaciel, który mieszkał ledwie kilka ulic dalej.

Za pierwszym razem znaleźli się razem na Saharze, uciekając przed okrutnymi przemytnikami diamentów. Potem musieli unikać tygrysów i wulkanów w indonezyjskim lesie deszczowym. Po tych perypetiach rodzice Petera nie zapatrywali się już tak entuzjastycznie na wspólne wakacje ich syna z Beckiem. Sam Peter jednak ciągle miał ochotę na więcej.

Beck się uśmiechnął. Przez te pełne przygód czternaście lat zrobił sobie kilku wrogów, ale zyskał o wiele więcej przyjaciół. I były to przyjaźnie, które będzie pielęgnował do końca życia.

Jego uśmiech nieco przygasł. Był jeden chłopiec, od którego nie spodziewał się kartki. Nie wiedział nawet, czy James Blake wciąż żyje. Kiedy widział go ostatni raz, płakał, próbując uwolnić matkę spod poskręcanych szczątków na rozpadającej się platformie wiertniczej.

A czemu się tam w ogóle znaleźli? Mina zrzedła mu jeszcze bardziej. Przez Lumos. Lumos, Lumos i jeszcze raz Lumos – gdzie nie spojrzeć, wszędzie ta sama firma. Tym razem korporacja eksperymentowała z nowym źródłem paliwa na dnie morza. Dzięki niemu mogła się dorobić fortuny, ale przy okazji zdewastowałaby środowisko. Lumos dbał jedynie o kasę. Beck znalazł się tam, bo matka Jamesa była zabójczynią na usługach Lumosu. Wypełniając

polecenie dziadka Jamesa – szefa Lumosu, Edwina
Blake'a – zwabiła młodego Grangera na platformę,
żeby go zabić.

A czemu platforma się rozpadała? Bo Lumos
był tak pazerny, że postawił ją na drodze huraganu
stulecia. Tak, to prawda, że Beck przyczynił się do
tego, wywołując podwodną eksplozję, ale tylko po
to, żeby móc uciec. Wybuch nikomu nie zrobił
krzywdy, a nie musiałby przecież niczego wysadzać,
gdyby nie starano się go zabić...

Gdy Beck przypomniał sobie szczegóły, zakrę-
ciło mu się w głowie. Mimo wszystko chciał pomóc Jamesowi uratować matkę. Mógł jej pokazać,
że istnieje coś lepszego niż jej smutny, skrzywiony
i samolubny punkt widzenia. Ale nie zdążył, bo ktoś
większy i silniejszy od niego odciągnął go, a później
wrzucił do śmigłowca. Zaledwie chwilę po tym, jak
poderwali się w powietrze, platforma wybuchła.

James mógł przeżyć, mógł też spoczywać na
dnie morza.

Beck próbował powstrzymać gonitwę myśli
i skupić się na kartkach urodzinowych. Była wśród

nich jeszcze jedna, która wyraźnie przyszła z zagranicy, ale nie umiał określić kraju. Nie potrafił nawet odczytać znaczka. Coś na nim napisano, ale alfabetem, który był Beckowi zupełnie obcy. Widniało tam coś, co ewidentnie było literą „E", potem dwa znaki przypominające piramidy, dalej „A" i coś w rodzaju odwróconej cyfry „3", tyle że bez zaokrągleń. Chłopiec uniósł brew i pokazał kopertę Alowi.

– Hellas – przetłumaczył wuj. – Albo po naszemu: Grecja.

– Grecja? – Beck zmarszczył brwi i wsadził palec pod skrzydełko koperty, żeby ją otworzyć. – Kogo stamtąd znam?

Koperta zawierała kartkę i list napisany odręcznie po angielsku. Beck powoli odczytał pierwszą linijkę, z trudem rozszyfrowując nieznajome pismo.

Drogi Becku,

Wszystkiego najlepszego z okazji urodzin! Nie pamiętasz mnie, ale poznaliśmy się, gdy byłeś bardzo mały. Nazywam się Athena Sapera...

Al zrobił wielkie oczy.

– Jezu! Athena Sapera? Kopę lat!

– Kto to?

– Bardzo stara przyjaciółka. Pani od nosorożców. Czytaj i chodź ze mną.

Beck podążył więc za Alem do salonu, odczy-
tując resztę listu linijka po linijce.

ROZDZIAŁ 3

Al grzebał w kredensie, w którym trzymał ich stare albumy na zdjęcia, a Beck czytał:

– *Przez wiele lat pracowałam z Twoimi rodzicami i wujkiem w Afryce.*

Beck przerwał i zerknął na wujka, który wciąż tkwił z głową w kredensie.

– To prawda? – zapytał.

– Prawda. – Głos Ala był nieco przytłumiony. – Dawaj dalej.

– Hmm – mruknął Beck. Ostatnim razem, gdy poznał kogoś, kto pracował z jego rodzicami, ten ktoś próbował go zabić; był amatorem, nie profesjonalistą, ale wychodziło na jedno. To, że jakaś osoba jest starym przyjacielem jego rodziców, samo w sobie niekoniecznie miało dla niego jakiekolwiek znaczenie. Ale kiedyś w końcu chyba wypadałoby zaufać gustowi rodziców w doborze przyjaciół. Nie wszyscy z nich muszą być źli.

– *Czytałam wiele o Twoich przygodach. Widać, że wdałeś się w rodziców! Byliby z ciebie bardzo dumni...*

– Mam! – Al rzucił ciężki album na stół i otworzył go mniej więcej w połowie.

Pierwszym, co Beck zauważył, był zajmujący większą część fotografii nosorożec. Miał rozmiar małego auta i pokrywały go płyty z fałdami grubej, ciemnej i szorstkiej skóry. Chłopiec przypuszczał, że zwierzę zostało odurzone środkami uspokajającymi, bo leżało z głową między przednimi nogami, przypominając przerośniętego psa, wygrzewającego się przy ognisku.

Z jednej strony zdjęcia widział swoją mamę, akurat wchodzącą w kadr. Przy głowie zwierzęcia przykucnęła inna kobieta, najwyraźniej badając jego oczy. Nosiła szorty, koszulę w kratę i kapelusz przeciwsłoneczny. Spod ronda wylewały się

23

ciemne kręcone włosy. Twarz miała nachyloną do obiektywu, jakby dopiero zauważyła, że ktoś robi jej zdjęcie.

Al postukał w jej twarz palcem i Beck zrozumiał, że to Athena. Czytał dalej:

– *Niedługo wracam do RPA, żeby kontynuować pracę z nosorożcami w Parku Narodowym Krugera. Pewnie o nim słyszałeś...*

Słyszał. Wiedział, że to wielki rezerwat zwierzyny w Republice Południowej Afryki – wielki w znaczeniu: rozmiaru niewielkiego państwa.

– *Zastanawiałam się, czy nie zechciałbyś do mnie dołączyć. Jestem pewna, że ta nowa sława okropnie cię nudzi...*

Beck uśmiechnął się gorzko. Tu miała zupełną rację. Do czasu jego perypetii w Australii nie mógł specjalnie narzekać. Wtedy media podchwyciły jednak temat chłopca, który przeżył i wygrał starcie z firmą, jak przedstawiał go jeden z nagłówków. Od tego momentu Beck udzielił wielu wywiadów prasie, telewizji i portalom internetowym. Starał się rozważnie korzystać ze sławy – promować inicjatywy Jednostki Zielonej i mówić o rzeczach, na które warto było zwrócić uwagę. Ale tak, po jakimś czasie w to wszystko wkradła się nuda. Ciągle te same tematy, ciągle te same oklepane formułki. Ciągle to samo pytanie na koniec: „Więc co teraz planujesz, Beck?". I ciągle ta sama szczera odpowiedź: „Pozostać przy życiu".

Czytał dalej:

– ...*ale zawsze powtarzam, że trzeba kuć żelazo, póki gorące. Twoja twarz idealnie nadałaby się do klipu Jednostki Zielonej, eksponującego kwestię kłusownictwa nosorożców. Te wspaniałe zwierzęta są na skraju wymarcia. Zostało jedynie kilka tysięcy nosorożców białych, a populacja czarnych spadła do kilkuset. Jeśli teraz tego nie zmienimy, to nie zmienimy tego nigdy.*

Beck przebiegł wzrokiem resztę listu.

– Dalej jest trochę statystyk dotyczących kłusownictwa... – Aż gwizdnął. – Według oficjalnych danych, w pierwszej połowie 2013 roku zabito czterysta dwadzieścia osiem nosorożców. To... hmm...

– Ponad siedemdziesiąt miesięcznie – stwierdził Al ponurym głosem. – Czyli więcej niż dwa dziennie.

– Tak czy owak, na koniec pisze tak: *Mam nadzieję, że to Cię zainteresuje. Odpisz mi na adres e-mailowy...* – Beck podniósł oczy na wujka, który wydawał się zamyślony. – No i co ty na to?

– A ty?

Beck naprawdę wolałby, żeby nikt nie nastawał znów na jego życie. Ale kłusownicy każdego dnia zabijali dwa nosorożce... Skoro zostało ich tylko kilka tysięcy, w tym tempie nie minie wiele czasu, zanim znikną zupełnie. Nie lubił być na świeczniku, ale jak napisała Athena, „trzeba kuć żelazo, póki gorące". Jeśli jego sława mogła w czymś pomóc...

– Chcę pojechać.

– Tego się spodziewałem. A czy w ogóle nie przyszło ci do głowy, że samotny wyjazd za granicę z Lumosem na ogonie byłby najgłupszą rzeczą, jaką możesz w tej chwili zrobić?

– A skąd Lumos miałby się o tym dowiedzieć? – skontrował Beck. – Nie musimy nikomu mówić.

Nie zamierzam ogłaszać swoich wakacyjnych planów na PlaceSpace. Mogę zwyczajnie tam pojechać, nagrać materiał i wrócić, zanim Lumos zdąży się zorientować, że wyjechałem.

Oczy Ala zwęziły się w zamyśleniu.

– Wiesz co? To nie jest najgorszy pomysł. Dobra. Odpowiedz jej, że przyjeżdżasz. – Sprzedał Beckowi kuksańca. – Ale nie pisz, że przyjeżdżam z tobą. Zróbmy jej niespodziankę.

– Też chcesz jechać?

– Pewnie. I tym razem będę miał cię na oku przez cały czas. Kiedy zostajesz sam, robi się gorąco.

ROZDZIAŁ 4

Beck i Al wtoczyli walizki do hali przylotów lotniska w Johannesburgu, a chłopak omiótł wzrokiem tłum oczekujących. Wcześniej przestudiował uważnie inne zdjęcia Atheny, więc był pewien, że od razu ją pozna.

Identyfikacja okazała się zbędna, bo kobieta niemal wrzasnęła:

– Al! – Przepchnęła się przez masę ludzi, żeby ich przywitać. – Ty czorcie! Nie mówiłeś, że też przyjeżdżasz! A ty musisz być Beck... Cześć!

Jej strój wyglądał w zasadzie identycznie jak na pierwszym zdjęciu znalezionym przez Ala: koszula w kratę i długie szorty, tyle że jej kręcone włosy były teraz przyprószone siwizną na skroniach. Miała ciemnobrązowe oczy i uśmiech, który widać było z kosmosu.

– Dobrze was obu widzieć! Jak lot? Dotarliście w samą porę: pracownicy lotniska mają właśnie ogłosić strajk. Chodźcie, tędy.

Beck pchał wózek bagażowy, wlekąc się za Atheną i Alem, którzy szli przodem obok siebie. Kiedy tłum zamknął się wokół nich, musiał ciągle lawirować, by nie wpaść na ludzi kierujących się w przeciwną stronę. W pewnym momencie ktoś zatoczył się na niego i zepchnął przed nadchodzącą grupę. Chłopiec poczuł się jak kulka, która utknęła między łapkami flippera. W końcu jednak zobaczył przed sobą drzwi prowadzące na zewnątrz.

Wyjście z lotniska zawsze stanowiło dla niego moment, w którym naprawdę czuł, że przybył do obcego kraju. To wtedy brał pierwszy oddech miejscowego powietrza – powietrza w naturalnej temperaturze, a nie tego przepuszczonego przez klimatyzację. Powietrza, które przepłynęło przez różne kontynenty i oceany.

W tym wypadku przypominało to wystawienie całego ciała na podmuch suszarki. Późnym latem powietrze w RPA jest suche i spieczone, bez choćby odrobiny wilgoci. Mimo całkiem wczesnej pory słońce już dawało się mocno we znaki, więc Beck szybko założył okulary przeciwsłoneczne.

Gdy doszli na parking, Athena poprowadziła ich do poobtłukiwanego dżipa z logiem Jednostki Zielonej na drzwiach. Rzucili walizki na tył.

– Wyspaliście się w samolocie? – zapytała.

– Nie – burknął Al. Zawsze miał problem z zaśnięciem w czasie lotu.

– Całkiem nieźle, dzięki! – odparł Beck z uśmiechem.

W podróży do Republiki Południowej Afryki dobre było to, że chociaż leżała daleko, to niemal dokładnie na południe od Wielkiej Brytanii. Przestawienie się o tę dodatkową godzinę różnicy w strefie czasowej, która dzieliła Johannesburg od Londynu, nie sprawiało trudności. W samolocie można było jeść czy spać o normalnych porach i dolecieć do celu w dobrej kondycji psychofizycznej.

Większość ich lotu przypadła na noc. A Beck uwielbiał patrzeć na rozciągający się pod nim rozległy kontynent, rozświetlany czasem przez blask tego, co mogło być jedynie ogniskami, widocznymi, o dziwo, z wysokości dziewięciu tysięcy metrów.

Szeroką trójpasmówką włączyli się w gorączkowy ruch uliczny Johannesburga. Gdy ruszali z lotniska, Athena uprzedziła ich, że jazda do miejsca jej zamieszkania w mieście zajmie pół godziny. Mogą spędzić tam dzień i noc, by ochłonąć po locie. Następnego dnia pojadą do Parku Narodowego Krugera, żeby Beck mógł nagrać materiał.

Bardzo szybko zauważył wyrastające na horyzoncie drapacze chmur Johannesburga. Wszędzie wokół nich na autostradzie nowiutkie, nowoczesne land cruisery kontrastowały ze starymi gruchotami, które wyglądały, jakby miały się rozpaść od zwykłego kichnięcia. Było to pierwsze ostrzeżenie, że RPA jest paradoksalnym połączeniem bogactwa i nędzy. Specyficznym krajem, w którym świat rozwinięty i ten dopiero się rozwijający wzajemnie się przenikają.

ROZDZIAŁ 5

Nie odzywali się za dużo – Al przysypiał, a Athena, ku wielkiej uciesze Becka, wolała skupić się na jeździe. Autostrada omijała miasto, które przemykało po prawej. W końcu znak zasygnalizował im, że niedługo dojadą do Soweto.

– Zaraz będziemy na miejscu – poinformowała Athena. – Właściwie to niedaleko stąd poznałam twoich rodziców, Beck. Wtedy wszyscy pracowaliśmy w Soweto.

– To w Soweto są nosorożce? – zdziwił się Beck. O ile mu było wiadomo, to getto ludności kolorowej na przedmieściach Johannesburga, a nie miejsce, w którym można znaleźć dzikie zwierzęta. Są tam za to ludzie: setki tysięcy ludzi, mieszkających przeważnie w osiedlach usianych budami z blachy falistej.

Al zachichotał sennie.

– Byli majstrami od wszystkiego. Zajmowali się czym popadnie.

– Al ma rację. To twój ojciec zaczął współpracę z Jednostką Zieloną z racji ich działalności na rzecz dzikiej przyrody. Twoja matka zajmowała się filantropią. Nie mogła znieść widoku cierpienia i nędzy, gdy ludzie wokół mieli tak wiele. Swoją drogą, powiedziałam, że poznałam twoich rodziców w Soweto, ale oni sami też właśnie tam się poznali!

Beck dał sobie chwilę, by przyswoić ten fakt. Nie wiedział, że jego rodzice... To znaczy, wiedział, oczywiście, że kiedyś musiało dojść między nimi do tego pierwszego spotkania. Skoro był czas, gdy jego jeszcze nie było na świecie, musiał być czas, gdy oni się nie znali.

– Możemy tam pojechać? Zobaczyć? – zapytał nagle.

Athena nie kryła uśmiechu.

– Nie wiem, czy pamiętam, gdzie dokładnie...

– Możemy po prostu zobaczyć getto?

– Pewnie. Jeśli nie masz nic przeciwko, Al? – Athena zerknęła z ukosa na mężczyznę, który wciąż przysypiał, ale ten wzruszył ramionami. – No dobrze. Znam kilka osób... Jednostka Zielona ma tam placówkę. Nie jestem pewna, czy znali twoich rodziców, ale bardzo ucieszy ich wasza wizyta.

Uśmiechnęła się do Becka w lusterku wstecznym.

– Byłam naprawdę zaskoczona, kiedy się do mnie odezwałeś! Ale w liście brzmiałeś zupełnie jak ojciec. Miałeś świetny pomysł i determinację, żeby wcielić go w życie...

– Ej, chwila. Co powiedziałaś? – Beck usiadł zaniepokojony. – Nie odzywałem się do ciebie. To ty pierwsza do mnie napisałaś! Wysłałaś mi list na urodziny.

– List? – Posłała mu zmieszany uśmiech. – Nie, to ty do mnie napisałeś, pamiętasz? Przeczytałeś o mnie w newsletterze Jednostki Zielonej i pomyślałeś, że może mógłbyś zostać twarzą kampanii

medialnej, skoro problem kłusownictwa nosorożców był tak bliski twoim rodzicom...

Beck i Al kompletnie się już pogubili. Wuj
odwrócił się w siedzeniu, żeby spojrzeć pytająco
na bratanka, a ten wzruszył ramionami, dając do
zrozumienia, że nie ma pojęcia, o co tu chodzi.

– Czekaj... – Beck miał plecak przy sobie. Po-
grzebał w nim i wyciągnął list nadany przez Athenę.
Wyjął go z koperty, rozłożył i podał Alowi, który
pokazał go kobiecie tak, żeby mogła go przeczytać,
nie odrywając rąk od kierownicy. Zrobiła wielkie
oczy.

– To nie moje pismo... – Przejrzała list szybko
aż do ostatniej linijki. – I nie mój e-mail.

Na jakiś czas w aucie zapadła cisza, w której każde z nich próbowało poukładać to sobie
w głowie.

– Al – odezwała się w końcu Athena, głosem
cichym, ale pełnym determinacji. – Masz moją
torbę pod nogami. List od Becka jest w przedniej
kieszeni. Wyciągniesz?

Profesor spełnił jej prośbę. I znów pogrążyli się w ciszy, aż wuj podał go Beckowi do przeczytania. List zaczynał się od: *Droga Atheno, nie wiem, czy mnie pamiętasz...* A na dole podpis: *Beck Granger*.

– To samo pismo – mruknął Beck. – I to też nie jest mój e-mail. – Po chwili dodał już głośniej: – Więc jak to się stało, że się znaleźliśmy? Skoro oboje pisaliśmy do siebie na złe adresy...

– Ktokolwiek odbierał te e-maile, przekazywał je na właściwe skrzynki. A przy okazji dowiadywał się o naszych planach – stwierdził ponuro Al. Znów się odwrócił, żeby spojrzeć na bratanka. – Zwabili cię tu, Beck. Ciekawe, czyja to mogła być sprawka...

Beck jęknął i opadł na siedzenie. Do głowy przychodziła mu tylko jedna odpowiedź i wiedział, że Al pomyślał o tym samym.

Lumos.

ROZDZIAŁ 6

Athena skręciła pod drzewa i zatrzymała auto w ich cieniu. Beck nawet nie zauważył, że zjechali z autostrady, pogrążony w myślach o zagadkowej korespondencji. Kobieta odwróciła się do pasażerów.

– Al, co się tu wyprawia?

Al i Beck spojrzeli po sobie.

– Od czego by tu zacząć... – odezwał się chłopiec.

Athena słyszała o wyczynach Becka, ale ani on, ani wuj nigdy nie wspominali o Lumosie publicznie. Nie wiedziała więc, jak bardzo niebezpieczna potrafi być ta firma.

– To długa historia – wyjaśnił Al. – Dość powiedzieć, że narobiliśmy sobie wrogów. Starych wrogów Jednostki Zielonej, którzy postanowili skupić uwagę na Becku.

– I myślicie, że znaleźliście się tu przez nich?

– Dokładnie tak myślę.

Athena zabębniła o kierownicę w zamyśleniu.

– A zatem wiedzą o wszystkim, co było w e-mailach...

– Tak. Athena, odwieź nas prosto na lotnisko, proszę. Beck wsiada do najbliższego samolotu wylatującego z tego kraju, nieważne, dokąd.

– Chcę zostać – sprzeciwił się chłopiec.

– Nie obchodzi mnie, czego chcesz.

– Mamy tu coś do zrobienia. Mama i tata nie daliby się tak łatwo zastraszyć, prawda?

– Twoi rodzice pomyśleliby przede wszystkim o tym, żeby zapewnić ci bezpieczeństwo, i właśnie to zamierzam zrobić. – Beck otworzył usta, ale Al gniewnie pogroził mu palcem. – Nie! To już postanowione. Athena, na lotnisko, jeśli łaska.

– Lotnisko będzie już zamknięte – odparła z zadziwiającym spokojem po chwili milczenia. – Mówiłam ci, że dotarliście tu w ostatniej chwili przed strajkiem, pamiętasz? Wiele lotów będzie już odwołanych. Tą drogą nie wydostaniecie się z kraju jeszcze co najmniej przez kilka dni.

Al uderzył w bok samochodu z frustracją, ale Athena się uśmiechnęła.

– Chcecie wywieść ich w pole? Jedźmy do getta. Nie wiedzą, że o tym rozmawialiśmy. Tego nie było w mailach. Beck będzie mógł się rozejrzeć, a ty może będziesz miał czas pomyśleć w spokoju, co dalej.

Dżip sunął powoli po szosie, a w pewnym momencie Beck ujrzał szlaban: prowizoryczną zaporę zrobioną ze słupa i kilku beczek po ropie. Stojący przed nim rośli mężczyźni wykrzywili twarze. Nie mieli mundurów, ale nie kryli się z tym, że posiadają broń – przewieszone przez ramię półautomaty. Ich postawa mówiła jasno: *Stoimy tu na straży i nie wpuszczamy obcych.*

Athena jednak pomachała i zatrąbiła kilka razy, jakby posługiwała się jakimś kodem. Grymasy ustąpiły miejsca uśmiechom, a mężczyźni zeszli na bok. Jeden z nich uniósł szlaban i pokazał im gestem, żeby przejechali.

Pierwszym, co Beckowi rzuciło się w oczy, było morze dachów z blachy falistej. Pod nimi kryło się małe miasteczko bud skleconych byle jak z betonu, blach, drutu, cegieł i szczątków starych aut. Między nimi biegły dróżki z czerwonej ziemi, które przywodziły Beckowi na myśl naczynia krwionośne – ścieżki wydeptanego błota były żyłami i tętnicami slumsów.

Jeśli miasteczko sprawiało wrażenie zapuszczonego, ludzie na pewno tacy nie byli. Sznury z wypranymi i pozostawionymi do wyschnięcia ubraniami oraz pościelą o pstrokatych wzorach i jaskrawych kolorach zdawały się wisieć co kilka kroków. Wszyscy mieszkańcy – od kobiet, przez mężczyzn, po dzieci – nosili się z godnością i pewnością siebie, ale Beck czuł też, że są pełni rezerwy. Na mijającego ich dżipa popatrywali nieufnie, a uśmiechali się i machali tylko wtedy, gdy zauważyli logo Jednostki Zielonej. Czasem Athena odmachiwała im albo odpowiadała przyjaznym trąbieniem.

Zatrzymali się na ubitej ziemi przy zbiorowisku kontenerów. Ten najbliższy stanowił połączenie sklepu mięsnego z kuchnią. W środku Beck zauważył czerwone płaty mięsa i stos niezidentyfikowanych kawałków zwierząt. Na zewnątrz grillowano je na ruszcie postawionym na wielkich metalowych beczkach i sprzedawano przechodniom za grosze. Wyglądały obrzydliwie, ale od ich zapachu zaczęła mu cieknąć ślinka.

Do następnego kontenera podciągnięto kilka grubych czarnych kabli. Na pierwszy rzut oka wyglądało to na miejscową centralę telefoniczną.

Na trzecim widniało logo Jednostki Zielonej. Athena zajrzała do środka.

– Nikogo nie ma – stwierdziła. – W takim razie pozwólcie, że oprowadzę was po okolicy.

ROZDZIAŁ 7

Szli powoli zatłoczonym wąskim kanionem między budami. Niektórzy miejscowi pozdrawiali Athenę życzliwym skinieniem głowy, ale większość jedynie mijała troje białych ludzi z obojętnością.

W czerwonej ziemi wykopano tu otwarty ściek, skrzący się stojącą wodą i nieczystościami. Beck, wciąż mając na nogach wygodne buty, które założył na czas lotu, był zmuszony przestępować rów z jednej strony na drugą, by przepuścić mijających go ludzi. Żałował, że nie przebrał się w solidniejsze obuwie.

Jednak w porównaniu z tym, z czym zmagają się tutejsi – pomyślał w duchu – ubrudzenie dobrej pary butów nie jest wielkim problemem.

– Zero ogrzewania, elektryczności czy bieżącej wody – skonstatowała Athena.

Beck rozglądał się po drodze. Większość bud zamiast drzwi miała płachty z materiału. Tylko nieliczne mogły się pochwalić szybami w oknach.

– Kiedy ogień wymyka się spod kontroli, błyskawicznie się rozprzestrzenia – podjęła, zwracając się do Becka. – I nie ma jak go ugasić, bo brak tu hydrantów dla straży pożarnej. A pożary wybuchają tu często. Teraz jest dość ciepło, ale zimą wielu umrze z zimna.

Płachta nad wejściem jednej z bud była częściowo odsłonięta i wyglądała zza niej mała dziewczynka. A przynajmniej Beckowi wydawało się, że to dziewczynka. Miała tak wielkie oczy, że zdawały się zajmować większą część głowy, a ciało tak chude, iż dziwił się, że w ogóle stoi prosto.

Uśmiechnął się do niej najpromienniej, jak potrafił.

– Cześć!

Dziewczynka błyskawicznie zniknęła, a płachta opadła na otwór wejściowy.

– Niemal wszystkie tutejsze dzieci cierpią na niedożywienie – ciągnęła Athena. – Nie rozwijają się prawidłowo, nie rosną im kości. Jeśli jedzą, to jest bardzo prawdopodobne, że to pokarmy zanieczyszczone przez szczury lub karaluchy, więc panuje czerwonka i nieżyt żołądkowo-jelitowy. Całe pożywienie albo od razu wraca górą, albo przechodzi przez ciebie i wychodzi w rzadkiej postaci drugim końcem. Brak bieżącej wody oznacza brak porządnych toalet, kanalizacji czy urządzeń sanitarnych. I dlatego choroby szerzą się błyskawicznie. Ludzkie odchody dostają się do wody i wywołują cholerę. Poważny atak może cię zabić w kilka godzin: odwadniasz się, bo wszystkie płyny wylewają się z ciebie jednym albo drugim końcem.

Beck czuł się tu niczym wścibski turysta, ale nie mógł nic na to poradzić. Pozostawało jedynie gapienie się jak ciele na malowane wrota. Poczuł, jak wzbiera w nim gniew.

Przywykł do życia w trudnych warunkach i widział ludzi posiadających bardzo niewiele. Znalazł wśród nich wielu przyjaciół i dużo się od nich nauczył. Nigdy jednak nie widział takiej nędzy.

Niektórzy ludzie byli biedni według zachodnich standardów, ale mieli wszystko, czego potrzebowali, i byli szczęśliwi. Inni byli biedni, ale dzięki ciężkiej pracy mogli zarobić tyle, by jakoś przeżyć. Ten rodzaj biedy był jednak jak z innej bajki. Ci ludzie nie mieli szans zaznać dostatku, nieważne, jak ciężko by pracowali – byli biedni, a niesprawiedliwy system dbał o to, żeby tacy już pozostali.

Beck jeszcze bardziej się wściekł. Jak mogli pozwolić ludziom żyć w takich warunkach?! I to z tym walczyła jego mama? Czuł się z niej tak dumny...

Minęli przycupniętą przy otwartym ognisku matkę z dwojgiem dzieci, która w milczeniu podążała wzrokiem za trojgiem przyjezdnych. W jej ramionach kwiliła i drżała mała dziewczynka. Oczy dziecka były zamknięte, ale głowa drgała, jakby miało gorączkę. Beck zobaczył, że od ciągłego drapania jej noga jest zdarta niemal do krwi.

Uniósł się gniewem. Podszedł do ogniska i chwycił rączkę dziewczynki, żeby przestała się drapać. Matka nie zareagowała, tylko spojrzała na niego z wyrzutem.

– Ona ma kleszcze – rzucił w jej stronę.

W skórze dziewczynki zagnieździły się czarne kropki. Kleszcze nie były mu obce. Te malutkie owady wpijały się w ciało gospodarza i zostawały tam przez wiele dni, pijąc krew, póki się nie znudziły albo nie najadły do syta. Ich brzuchy powoli pęczniały, aż zaczynały przypominać przyczepione do skóry czarne jagody.

– Myślę, że ona o tym wie, Beck – powiedziała cicho Athena. Zwróciła się do kobiety z szacunkiem: – Sawubona, matka – i otrzymała ponure skinienie w odpowiedzi.

– Mała ma gorączkę plamistą – wyjaśniła. – To bardzo częste. Nie jest śmiertelne, ale powoduje wysoką temperaturę i bóle głowy.

Kleszcze przenoszą też bakterie w żołądkach, które mogą przeniknąć do krwi ofiary. Beck słyszał o tym, ale nigdy nie widział na żywo. Drapanie ukąszenia tylko pogarsza sprawę – zdzierasz skórę do krwi, a zakażenie szybciej się wdaje.

Nadal był zły. Tak łatwo można było temu zaradzić.

– Dobra. Wiem, jak się ich pozbyć.

Athena powiedziała coś do kobiety w języku zulu, a ta znów jedynie skinęła głową.

Kiedy Beck rozejrzał się w poszukiwaniu inspiracji, wypatrzył stertę chrustu. Wybrał z niej małą gałązkę, po czym włożył jej czubek do ognia, aż zaczęła się tlić. Potem przykucnął przy dziewczynce i powoli wyciągnął żarzący się koniec w stronę najbliższego kleszcza. Dziecko rozwarło lekko powieki, a gdy go zobaczyło, jęknęło.

– Ciii... Już dobrze... Ciii...

Uważając, żeby nie dotknąć jej skóry, Beck przyłożył gorący koniec do czarnej kropki na skórze. Kleszcz niemal od razu zaczął się wić i skręcać, a potem odpadł. Beck szybko strącił go z niej i z wielką przyjemnością wdeptał w ziemię.

– OK, jeszcze jeden? – zapytał radośnie. Dmuchnął w czubek gałązki, żeby rozniecić ogień, i zajął się następnym kleszczem na nodze dziewczynki. Po kilku chwilach wypalił wszystkie, a wtedy Athena znów odezwała się do matki.

– Mówię jej, żeby przyprowadziła małą do biura Jednostki Zielonej. Damy jej coś na zbicie gorączki.

Matka po raz pierwszy okazała jakieś emocje, spoglądając na Becka i mówiąc:

– Ngiyabonga.

– To znaczy: „dziękuję" – przetłumaczyła Athena.

Mały chłopiec, który przyglądał się całemu zabiegowi w milczeniu, nagle posłał Beckowi szeroki uśmiech, który zajął niemal całą twarzyczkę. Wyciągnął do niego rękę. Tuż nad łokciem miał kleszcza.

– Wygląda na to, że znalazłeś sobie zajęcie, Beck – skwitował Al ze śmiechem.

ROZDZIAŁ 8

Gdy we troje wrócili do biura Jednostki Zielonej, słońce wisiało już wysoko na niebie. Al prawie słaniał się na nogach. Beck czuł za to przyjemne ciepło w środku, które rozpalały poczucie dobrze spełnionego obowiązku i świadomość, że zmęczył się czymś, co warte było wysiłku.

– Nikt im wcześniej nie mówił, jak to się robi? – zapytał, gdy usunął chyba tysięcznego kleszcza z setnego dziecka.

– Pewnie mówili. Problem w tym, że oni cały czas mają świadomość, że kleszcze i tak powrócą. Tutaj to norma.

Beck zazgrzytał zębami z frustracji. Zawsze wyobrażał sobie, że jego rodzice walczyli z siłami zła, które z chciwości chciały zniszczyć całe połacie ziemi i doprowadzić do wymarcia niezliczonych gatunków zwierząt. Zginęli na polu tej bitwy, ale nie zostali pokonani. To najlepiej świadczyło o tym, jak sprawnie działali. Zło poczuło się zagrożone i odpowiedziało w jedyny sposób, jaki znało: atakując ze ślepą furią.

Niewykluczone, że sam mógłby zrobić równie wiele dobrego, pomagając bezbronnym ludziom w miejscu takim jak to.

Spojrzał z ukosa na rozklekotane budy, które ludzie nazywali domami. Własnoręcznie zbudował kilka osłon, mając do dyspozycji nawet mniej niż ci ludzie. Ale wtedy potrzebował przeżyć tylko przez noc albo dwie. Nigdy nie musiał mieszkać w nich na stałe. Nigdy nie były jego domem.

Może i w tej kwestii mógłby im pomóc – pokazać, jak usprawnić schronienia, jak je uszczelnić przed wiatrem i wodą...

Gdy dochodzili do dżipa, Al odwrócił się do Becka.

– Zachowałeś się wspaniale, ale proszę: czy teraz moglibyśmy się trochę przespać?

Beck uśmiechnął się i odwrócił do grupki złożonej w większości z dzieci, która ciągle podążała za nimi w milczeniu. Pomachał im i zawołał:

– Muszę już iść. Ale wrócę!

Ich ponure twarze rozciągnęły się w wielkich uśmiechach, a ręce odmachały mu entuzjastycznie. Beck odpowiedział szerokim uśmiechem. Pomachał raz jeszcze i odwrócił się do auta.

Wtem zaryczał silnik i obok nich zatrzymał się gwałtownie inny dżip, czarny, nowoczesny i lśniący. Jego opony wzbiły wokół nich tuman czerwonego pyłu. Beck zakasłał, a jego oczy nagle zaczęły łzawić.

– Co jest?

I wtedy z kurzawy wynurzył się wysoki krzepki mężczyzna. Miał grzywę siwych włosów, które niegdyś były ciemne, i muskularne ramiona, prężące się pod tkaniną koszuli. Jego szczęka była zaciśnięta w zawziętym grymasie. Mężczyzna owinął ramiona wokół Becka, podniósł go i zaciągnął w stronę dżipa.

Przypominało to atak zwinnego srebrnogrzbietego samca goryla. Beck uderzył w bok auta, wciąż zbyt oszołomiony, by zdobyć się na jakąś reakcję.

Mężczyzna złapał go za kark i pasek spodni, po czym wepchnął przez otwarte drzwi do ciemnego chłodnego wnętrza z tyłu auta. Beck zamrugał przez załzawione oczy i ujrzał twarz, której, jak myślał, już nigdy nie zobaczy. Należała do chudego blondyna starszego od niego o kilka lat, który chwycił go za ramię.

Była to twarz Jamesa Blake'a. Chłopca, który już raz próbował go zabić...

ROZDZIAŁ 9

Beck zamachnął się pięścią na Jamesa, po czym wywinął się z jego chwytu. Najszybciej jak mógł, wygramolił się tyłem z dżipa. I wpadł prosto w ręce tamtego Goryla.

– Zapomnij, mały... – zaczął mężczyzna.

Ale nie dokończył, bo nagle zniknął, gdy Al – nadspodziewanie zwinnie – rzucił się na niego i powalił na ziemię. Obaj wylądowali splątani i zdyszani w czerwonym pyle. Beck razem z Atheną podbiegli do Ala, by pomóc mu wstać. Napastnik też próbował się podnieść... ale wtedy pochłonął go tłum rozkrzyczanych, rozeźlonych afrykańskich dzieci. Grupka, która podążyła za Beckiem, obskoczyła mężczyznę jak rój owadów, kopiąc go, waląc piąstkami, obrzucając kamieniami i błotem.

– Ruszcie się! – rzuciła Athena, ciągnąc obu Grangerów w stronę auta.

Beck raz jeszcze spojrzał na czarnego dżipa z otwartymi tylnymi drzwiami. James wciąż musiał być w środku, rozmasowując siniaki.

Athena zatrzasnęła drzwi od strony Becka i wdrapała się na siedzenie kierowcy. Zaryczał silnik i ruszyli z impetem, zostawiając za sobą obłok czerwonego pyłu, który szybko przesłonił im widok za plecami.

– Kto to był, do ciężkiej cholery? – wydyszał Al z ciężko falującą piersią.

– W dżipie był James. James Blake – poinformował go Beck. Przyjrzał się ręce, którą zdzielił Blake'a. Wciąż go bolała.

Al spojrzał na niego oczami wielkimi jak spodki. Pędzili drogą, kołysząc się z boku na bok.

– James? Nasz znajomy, nastoletni psychopata? Który powinien nie żyć?

Beck skinął głową. Al zaklął i walnął pięścią w tapicerkę.

– Mam już tego dość! Wszystko to jedna wielka pułapka Lumosu. Jamesowi się nie udało, więc będzie próbował do skutku i za każdym razem mocniej. A ty za każdym razem będziesz musiał liczyć na szczęście, żeby przeżyć. Jemu musi poszczęścić się tylko raz, żeby cię zabić. Dlatego wyjeżdżamy już, dzisiaj, teraz.

Dżip zwolnił nieco, by ominąć wyboje. Beck spojrzał za siebie, ale nie było widać pościgu.

– Mówiłam ci już. Lotnisko jest zamknięte – przypomniała mu spokojnie Athena. – Dokąd chcesz jechać?

– Pojedziemy... – Al pomachał rękami z frustracją. – Gdziekolwiek! Po prostu jedź w głąb kraju! Gdzieś... gdzie nie będą się nas spodziewać!

– Na przykład do slumsów? – zapytał Beck. – Słuchaj, James sknocił robotę. Chwilę potrwa, zanim obmyśli kolejny plan. Będzie musiał się zastanowić. Powinniśmy pojechać do rezerwatu nosorożców.

– Czyli dokładnie tam, gdzie James wie, że miałeś pojechać – zauważył Al.

– Będziemy otoczeni ludźmi Jednostki Zielonej – skontrował Beck. – No wiesz, strażnikami z ciężką bronią. Oni znają wszystkich, więc jakikolwiek obcy na pewno zwróci ich uwagę.

Al zacisnął usta w zamyśleniu. Wyglądało na to, że słowa Becka trafiły mu do przekonania.

– I pamiętaj – odezwała się Athena – że przyjechaliście tu właśnie po to, żeby Beck mógł nagrać klip promujący kampanię.

– Pamiętam, ale teraz wiemy, że to był pomysł Lumosu!

– Nieważne, czyj to był pomysł... – Kobieta po raz pierwszy straciła nieco ze swego zwyczajowego spokoju. Zaczęły przebijać z niej gniew i ideowa pasja. – Ważna jest sprawa. Bardzo ważna, Al. Bardzo! Sytuacja jest dramatyczna, więc każda pomoc jest na wagę złota! Co z tego, że ten Lumos przez przypadek nam pomógł?...

Beck czuł, że wujek ustępuje, choć Al spróbował raz jeszcze przemówić bratankowi do rozsądku:

– Lumos wciąż będzie miał mnóstwo okazji, żeby znowu spróbować cię zabić – zauważył. – Jeśli dobrze pamiętam, do Parku Narodowego Krugera jedzie się siedem czy osiem godzin. To długa droga. Mogą rozstawić na trasie uzbrojonych ludzi. Mogą zaatakować w każdym momencie.

Athena się uśmiechnęła.

– Myślę, że możemy dotrzeć tam szybciej, i mam plan, który nie da Lumosowi najmniejszej szansy.

ROZDZIAŁ 10

Athena zawiozła ich na północ, do Pretorii, a tam przesiedli się do śmigłowca należącego do Jednostki Zielonej. Kobieta uprzedziła telefonicznie, że przyjadą, więc helikopter czekał już na nich z włączonym silnikiem. Na miejscu spotkali się z pilotem i drugim mężczyzną, który miał na sobie wyblakły strój safari w kolorze khaki i kapelusz przeciwsłoneczny z odznaką strażnika parku.

Śmigłowiec był ciasny i głośny. Becka, Ala, Athenę oraz ich bagaże upchnięto z tyłu, w przestrzeni nie większej od wnętrza sedana. Był jednak szybki.

Gdy Beck wyjrzał przez okno, zobaczył przemykające pod nimi niskie, faliste wzgórza i sawannę.

Wcześniej przelecieli przez Góry Smocze, najwyższe pasmo górskie w Afryce. Była to kraina wyrzeźbiona przez wulkany miliony lat temu, ze szczytami sięgającymi ponad trzech tysięcy metrów. Teraz lecieli nisko nad Wyżyną Weldów – pofałdowaną, trawiastą sawanną, stanowiącą siedlisko wszystkich gatunków grubej zwierzyny Afryki. Nosorożców i słoni. Lwów i lampartów.

Był późny wieczór. Słońce sposobiło się już do snu, a cienie drzew i zwierząt wydłużały się przed nimi. Cień samego helikoptera przypominał olbrzymiego owada, skaczącego po ziemi to w górę, to w dół w zależności od wysokości terenu. Wystraszone rykiem lecącego nad nimi obiektu stado zebr zerwało się do galopu i przebiegło kilkaset metrów.

– Jesteśmy celem ciągłych ataków – odezwał się posępny głos w uszach Becka. Wszyscy założyli słuchawki, by móc się porozumieć pomimo hałasu silnika. Strażnik, Bongani Peterson, odwrócił się do nich na siedzeniu drugiego pilota. Był wysokim Zulusem z siwiejącymi włosami na skroniach.

– Ściągnęliśmy armię do pomocy, prowadzimy patrole z pokładów śmigłowców, a nawet zaczęliśmy używać dronów do obserwacji – podjął Bongani. – Ale nasi przeciwnicy i tak tu ciągną.

Beck i Al uważnie słuchali słów człowieka, który spędził tyle czasu na pierwszej linii walki okupionej krwią – nie tylko nosorożców, ale i ludzi. Kłusownicy wiedzieli, jak surowa kara ich czeka, jeśli zostaną złapani, i nie wahali się zabijać strażników, którzy ich przyłapali.

– Ciągną? Skąd?

Bongani wskazał przed siebie, na wschód.

– Przeważnie przez granicę z Mozambikiem. Ma ponad trzysta kilometrów, więc trudno jej pilnować. A park zajmuje ponad dwa miliony hektarów. To tyle, co Izrael! Przyjeżdżają tu w małych grupach, po czterech czy pięciu, a kiedy już znajdą się w parku, mogą po prostu zniknąć.

– Ale przecież czterech czy pięciu gości nie da rady unieść całego martwego nosorożca, prawda? – zdziwił się Beck.

– Oni nie potrzebują go całego. – Bongani poklepał się po nosie. – Potrzebują tylko jednej części: rogu. Niestety nosorożce nie lubią się z nimi rozstawać, więc kłusownicy muszą je zabić, żeby je zdobyć. Na czarnym rynku taki róg jest wart więcej niż złoto. Krąży całe mnóstwo bzdur na ten temat. Ludzie myślą, że to jakieś magiczne lekarstwo, ale róg jest zrobiony z keratyny, Beck! Z tego samego, co twoje paznokcie! Jeśli ludziom wydaje się, że to lekarstwo, mogą równie dobrze wypić herbatkę zaparzoną z własnych paznokci.

Beck skrzywił się na myśl o takim wywarze.

– Życzę im, żeby się od tego pochorowali.

Twarz Bonganiego rozszerzyła się w szerokim uśmiechu.

– Już teraz chorują! Testujemy projekt, w ramach którego wstrzykujemy do rogu nosorożca różowy barwnik. Nie przenika do krwiobiegu, więc nosorożcowi to nie zaszkodzi – ale ludzie, którzy go spożyją, dostaną poważnych nudności i skurczy żołądka. A może to, że róg jest różowy, co nosorożcom nie przeszkadza, bo nie rozróżniają kolorów, w ogóle zniechęci kłusowników do zabijania tych zwierząt.

Beck się roześmiał.

– Sprytne.

Uśmiech Bonganiego przygasł i strażnik wzruszył ramionami.

– Taką mamy nadzieję. Ale to wojna bez końca. Nie możemy wstrzyknąć barwnika do rogu każdego nosorożca, a prędzej czy później kłusownicy albo ci, którym odsprzedają rogi, wymyślą sposób, jak je na nowo wybielić. Nie będą już różowe, ale toksyna w nich zostanie i będzie dalej truć ludzi. Musisz pamiętać, Beck, że ludzie są głupi, chciwi i podli. I to dlatego giną nosorożce.

Ich rozmowę przerwał głos pilota:

– Za dziesięć minut będziemy na miejscu.

ROZDZIAŁ 11

Gdy śmigłowiec wylądował w chmurze wirującego pyłu, słońce chowało się za horyzont. Przysiadł na ziemi tylko na tyle długo, by wszyscy zdążyli wysiąść z bagażami, a potem poderwał się w powietrze. Pasażerowie popędzili do stróżówki.

Mieściła się w niej miejscowa siedziba Jednostki Zielonej. Był to budynek roboczy, a nie miejsce, w którym kwaterowano zamożnych turystów. Nie uświadczyło się tu jacuzzi ani tarasu słonecznego. Był to niski drewniany bungalow, dla ochrony przed wężami i owadami, postawiony na palach. Dach miał pokryty suchą strzechą, a okna nie były przeszklone.

Dopóki nie zobaczyło się pozostałych strażników albo aut zaparkowanych od frontu, jedynym świadectwem tego, że to wciąż dwudziesty pierwszy wiek, była antena satelitarna z boku domku.

Drewniane schody i weranda prowadziły prosto do głównego pomieszczenia stróżówki, wyposażonego w wyplecione z trzciny krzesła i sufitowe wentylatory, które zapewniały leniwą cyrkulację powietrza w szerokiej otwartej przestrzeni. Przy laptopie na stole pochylała się afrykańska dziewczyna w wieku Becka. Uniosła głowę na tyle długo, by się do nich uśmiechnąć, ale potem przeniosła wzrok z powrotem na ekran, notując coś na bloczku papieru.

– Samora, to są... – zaczął Bongani.

– Znów ruszyła w drogę – szepnęła dziewczyna, uciszając go machnięciem ręki.

Bongani spojrzał krzywo na pozostałych, ale wyglądał na rozbawionego. Podeszli do stołu, żeby zobaczyć, co tak zaabsorbowało dziewczynę.

Beck niewiele z tego rozumiał. Na ekranie widać było wiele nałożonych na mapę zakrętasów. Po jednym z nich powoli poruszała się kropka. Jak przypuszczał, ciąg cyfr obok niej wskazywał długość i szerokość geograficzną. Co pewien czas kropka zmieniała swoją pozycję, a którąś z cyfr zastępowała inna.

Bongani położył dłoń na ramieniu Samory, a ona ją uścisnęła. Oboje byli wyraźnie zadowoleni ze wskazań ekranu, cokolwiek przedstawiał. Beck zastanawiał się, czemu są tak cicho. Przecież to, co obserwowali na laptopie, nie mogło ich usłyszeć, prawda?

– Co to jest? – zapytał półszeptem.

– To słonica – wyjaśniła Samora, nie podnosząc wzroku. – Wyhodowali ją ludzie, ale wypuściliśmy ją na wolność. Teraz jest w ciąży... Widzisz, którędy idzie? – Wskazała zawijasy na ekranie. – To są typowe trasy wędrówek. Widzimy, że zaczyna podążać za tymi samymi wzorcami zachowań, co reszta stada. – Posłała Beckowi promienny uśmiech, w którym czuć było radość. – A to oznacza, że stado ją przyjęło.

Bongani przedstawił ich sobie nawzajem:

– Samora, kochanie, to jest Beck i Al. Athenę już znasz. Samora to moja córka...

– A o nosorożcach też wszystko wiesz? – zapytał odruchowo Beck. Nie miał pojęcia, że spotka tu kogoś w swoim wieku. Fajnie będzie mieć rówieśnika do towarzystwa.

Dziewczyna się uśmiechnęła.

– Trochę wiem.

Bongani przewrócił oczami.

– A czego ona nie wie? Chodźcie, pogadacie później. Może chcielibyście się trochę przespać, zanim coś zjemy?

ROZDZIAŁ 12

Nazajutrz po śniadaniu Beck siedział na werandzie stróżówki i spoglądał na park. Aż po horyzont, niczym cienki woal nad pradawnym lądem, rozciągały się we wszystkie strony drzewa i krzewy.

To jest prawdziwa Afryka, kontynent pełen piękna i majestatu – pomyślał. Odwiedzone wczoraj getto było jak nowotwór na zdrowej tkance Czarnego Lądu. Nowotwór powstaje, gdy naturalne mechanizmy organizmu zaczynają szwankować. Slumsy były miejscem, w którym wspaniała, obfitująca w bogactwa naturalne i barwnych ludzi Afryka zwróciła się przeciw samej sobie.

Beck chciał być jak lekarz i pomóc jej powrócić do zdrowia. Musi być jakiś sposób...

Wczoraj wieczorem, po wczesnej kolacji, zasnął z głową pełną marzeń o dziczy. O zapachu suchej trawy i nieustannej muzyce owadów, przerywanej tylko sporadycznymi odgłosami jakichś zwierząt w oddali. Obudził się wcześnie, pełen niecierpliwego oczekiwania – czuł w dołku dziwne drżenie, na poły ekscytację, na poły strach.

Wyszedł na werandę i wyjrzał na rezerwat zwierzyny. Dopiero teraz, gdy widział go z ziemi, a nie z powietrza, czuł, że naprawdę znalazł się w Afryce.

Dwadzieścia metrów od niego stał drewniany znak przeznaczony dla turystów, którzy mogli nie wiedzieć, jak należy zachowywać się w parku:

PROSIMY NIE NOSIĆ JASKRAWYCH KOLORÓW, BO DRAŻNIĄ SŁONIE

Beck pomyślał o znaku na zewnątrz swojego mieszkania w Londynie – PARKING TYLKO DLA MIESZKAŃCÓW – i uśmiechnął się do siebie. Wolał ten tutaj. Chciałby mieszkać gdzieś, gdzie mógłby spotkać swobodnie wędrujące słonie.

Beck i Al, nawykli do życia na łonie natury, przywieźli ze sobą właściwe ubrania, więc słonie nie miały powodu do niepokoju. Ich kapelusze z szerokimi, opadającymi rondami osłaniały przed słońcem oczy i głowę. Na nogach mieli lekkie, solidne buty safari, które chroniły podeszwy ich stóp i usztywniały kostki na nierównej powierzchni. Ich koszule i spodnie uszyte były ze wzmocnionego materiału rip-stop, na tyle luźnego, by zapewnić ruch powietrza przy skórze. Stonowane zielenie i brązy wyglądały prawie jak kamuflaż. Pocieszała go myśl, że może po prostu wtopić się w tło parku, gdyby zaszła taka potrzeba.

Usłyszał kroki na deskach. Obok niego usiadła Samora.

– Dzień dobry! – Machnęła ręką na park. – No i jak ci się podoba?

– Pięknie tu jest – przyznał szczerze.

– Tata mówił, że nakręcisz wideo o nosorożcach. To prawda?

– Zgadza się. Po drodze opowiadał nam o kłusownikach.

Przez uśmiechniętą twarz Samory przemknął cień.

– Źli ludzie. Źli i zdesperowani. Uczę się o ochronie zwierząt. Chcę być strażniczką, kiedy dorosnę.

Z domku wyszli też Athena z Bonganim. Kobieta miała pokrowiec na kamerę przerzucony przez ramię, a mężczyzna niósł statyw. Zeszli po schodach i zaczęli rozstawiać sprzęt na sypkiej ziemi.

– Samora już ma dużą wprawę w pobieraniu próbek DNA – pochwalił córkę Bongani.

– DNA? – zdziwił się Beck. Przecież nie musi być genetykiem, żeby zostać strażniczką...

– Pobieramy DNA z martwych nosorożców, które znajdujemy, i wysyłamy próbki do Johannesburga – wyjaśniła dziewczyna. – Wędrują do bazy danych, żeby można było dopasować je do produktów, które pojawiają się na rynku. Zbieramy też dowody w postaci łusek po nabojach. – Jej uśmiech zgasł. – Tata mówił ci o matce i młodym, które znaleźliśmy wczoraj?

Beck pokręcił głową. Gdy próbowała sobie przypomnieć szczegóły, jej spojrzenie stało się trochę nieobecne.

– Wiedzieliśmy, że coś się stało, bo zauważyliśmy sępy. One zawsze krążą nad martwymi zwierzętami, to zazwyczaj pierwsza oznaka, że stało się coś złego. Pojechaliśmy więc sprawdzić. Nosorożce musiały zginąć przed czteroma-pięcioma dniami. Najpierw znaleźliśmy młode. Sępy i hieny ogryzły je aż do kości. – Urwała.

– Kłusownicy musieli postrzelić je pierwsze, pewnie mierzyli w matkę i spudłowali. Zostawili młode, bo jego róg był za mały. Jeden nosorożec mniej, i to zupełnie za nic. Matka leżała kilkaset metrów dalej, z wielką dziurą zamiast rogu. Nie ma nic bardziej odrażającego niż ta dziura: czarna i brzydka, pełna gęstej, ciemnej krwi i bzyczących much.

Przez chwilę głos Samory drżał. Zamilkła, potarła oko palcem i podjęła wątek już spokojniej, odzyskując panowanie nad sobą:

– Musiała rzucić się do ucieczki, gdy zabili jej młode. Na pewno się męczyła... Miała ranę w ramieniu, trafili ją co najmniej raz, a potem dobili. – Z wyraźnym trudem tłumiła wściekłość wywołaną śmiercią tych wspaniałych stworzeń.

Beck też to czuł. Gniew płonący gdzieś głęboko w środku. Przypomniał sobie słowa Bonganiego o paznokciach. Kim byli ci ludzie? Jak mogli robić coś takiego tym pięknym zwierzętom? I to dla zwykłego lekarstwa z paznokci...

– Idealnie! – zawołała Athena. – Tak trzymaj! – Przymocowała kamerę na szczycie statywu i odwróciła obiektyw w stronę Becka.

Chłopiec mrugnął, zdezorientowany.

– Co?

– Jesteś zły, prawda?

– Oczywiście, że jestem zły!

– No i tak trzymaj. Musimy usłyszeć to w twoim głosie, zobaczyć to w twoich oczach. Możesz zacząć od tej historii, którą opowiedziała ci Samora, póki masz ją świeżo w pamięci. OK! Gotowy... Akcja!

Beck powtórzył więc opowieść koleżanki, spokojnie, ale z pasją. Kiedy jednak skończył pierwsze ujęcie, wiedział, że prawdziwa historia dopiero się rozpoczyna.

ROZDZIAŁ 13

– Zatrzymaj się tutaj, Al – poinstruowała Samora z tylnego siedzenia.

Dżip kołysał się na biegnącej po lekkim wzniesieniu drodze gruntowej. Al posłusznie skręcił na ubity skrawek ziemi, gdzie wyraźnie zatrzymywało się wcześniej wiele innych aut.

Zgasił silnik, a Beck zrozumiał, czemu Samora wybrała to miejsce. Przed nimi rozciągał się *veld*, trawiaste wyżyny Parku Narodowego Krugera. Na horyzoncie w oddali majaczyły Góry Smocze, nad którymi wczoraj lecieli.

Z łagodnego zbocza widać było wodopój. Stanowił ciemniejszą plamę na sawannie, otoczoną błotem rozdeptanym przez wszystkie zwierzęta, które przychodziły tu po życiodajną wodę.

W tej chwili tłoczyło się wokół niego stado impali[2] wyciągających szyje, żeby się napić. Były wiotkimi, pełnymi gracji stworzeniami z cienkimi i poskręcanymi rogami.

– Domyślam się, że nie są zagrożone wymarciem – stwierdził Beck, spoglądając z góry na stado.

– Nie, są bezpieczne. Według najnowszych danych, półtora miliona – uspokoiła go Athena.

– To prawie tyle, ile różnych ujęć zrobiłaś, kiedy mnie nagrywałaś! – zażartował.

Athena się uśmiechnęła. Zawsze była perfekcjonistką i wiedziała, że czasem może być utrapieniem dla otoczenia.

Po zakończeniu zdjęć z Beckiem zabrała z Bonganim dżipa Jednostki Zielonej, by nagrać dodatkowe ujęcia do materiału. Miała na oku kilka panoram i miejsc, gdzie mogła sfilmować zwierzęta z bliska. W międzyczasie Al wziął drugiego dżipa,

---

[2] Ssaki pokrewne antylopom.

żeby pokazać Beckowi więcej parku z poziomu ziemi. Ku uciesze chłopca Samora zabrała się z nimi dla towarzystwa.

Teraz rozejrzał się po pejzażu w poszukiwaniu innych ciekawostek. Przez kilka „afrykańskich" minut, jak nazywał je wuj z racji ich bliżej nieokreślonej długości, wszystko było spokojne. Minęło ich może pięć... a może piętnaście. Liczyło się tylko wrażenie bezruchu i spokoju. To właśnie za to Al, a także rodzice Becka, zawsze kochali Afrykę.

Chłopiec zauważył to pierwszy. Stado słoni, może piętnaście albo dwadzieścia różnej wielkości, wlekących się do wodopoju. Obserwował je z nabożnym podziwem. Znał ludzi, którzy mieszkali w domach mniejszych od przywódcy stada. Impale zorientowały się w zamiarach kroczących olbrzymów i postanowiły wziąć nogi za pas.

Kiedy Beck był mały, Al powiedział mu, że słonie afrykańskie nazywają się tak ze względu na uszy w kształcie Afryki, a te indyjskie zawdzięczają nazwę uszom w kształcie Indii. Al lubił opowiadać mu takie historie, a Beck nie mógł zaprzeczyć, że uszy słoni afrykańskich są większe i wyglądają jak mapa Afryki. No, powiedzmy.

Kilkaset metrów za słoniami przeszły wdzięcznie trzy czy cztery żyrafy. Kołysały szyjami w rytm kroków i wydawały się niemal unosić nad suchą trawą.

Nagle Samora krzyknęła cicho i złapała Becka za ramię.

– Patrz!

Podążył za jej wyciągniętym palcem, ale przez chwilę nie rozumiał, co ją tak pobudziło. I wtedy zobaczył, jak z krzaków, stąpając powoli, wynurza się wspaniały nosorożec.

ROZDZIAŁ 14

Zbliżał się z niezachwianą pewnością siebie. Powoli, metodycznie, dostojnie.

Beck wiedział, że nosorożce są spokojnymi roślinożercami, które nikomu nie wadzą. Wiedział też jednak, że mają bardzo wybuchowy charakter i, rozdrażnione, mogą zaatakować z furią.

Ten nosorożec poruszał się tak, jakby był świadomy swojej siły. Wsparty ciężarem całego ciała róg mógł wyrządzić poważne szkody, a jego ciało pokryte było płytami, więc nie bał się niczego. Żaden mięsożerca nie byłby na tyle głupi, by zaatakować w pełni wyrośniętego, dorosłego osobnika. Zapewne jedynym stworzeniem, które mogło go zranić, był słoń, ale jaki miałby w tym cel?

Nic więc dziwnego, że ten nosorożec poruszał się tak spokojnie, w harmonii ze światem. Niestety Beck wiedział, że rzeczywistość wygląda zgoła inaczej.

To świat kłusowników uzbrojonych w sztucery o dużej mocy, przed którymi te wspaniałe stworzenia nie mają szans się obronić. Dzisiaj nie było jednak widać żadnego z nich. Jedynymi ludźmi w pobliżu byli Beck, Samora i Al, którzy znajdowali się na szczycie wzgórza sto metrów od niego. Nosorożec miał zbyt słaby wzrok, żeby ich tam zauważyć.

– To nosorożec czarny – stwierdziła Samora podniosłym tonem. – Są bardzo rzadkie. Według najnowszych danych zostało ich w parku trzysta pięćdziesiąt. Dopisało nam szczęście.

Nosorożec to ssak zbudowany niczym czołg. Ten był wysoki jak człowiek i prawie dwa razy dłuższy – Beck szacował, że od nosa do ogona ma około czterech metrów. Jego głowa poruszała się powoli z boku na bok, obserwując otoczenie malutkimi oczami, osadzonymi nisko po obu stronach czaszki.

Kiedy jego głowa się poruszała, potężny róg – źródło wszystkich jego kłopotów – przypominał

Beckowi celownik broni. Jakby zwierzę cały czas mierzyło do wszystkiego, co mogłoby ośmielić się zakłócić mu spokój.

Nie było odważnych. Nosorożec szedł dalej, przez nikogo nie niepokojony.

– Tak naprawdę nie wydają się czarne, nie? – zauważył Beck. Nosorożec był co najwyżej ciemnoszary.

– Po prostu ciemniejsze od białych – odparła Samora.

– ...które też nie są białe – stwierdził Al z uśmiechem.

Wciąż patrząc przez lornetkę Ala, Samora dodała:

– Białe wzięły nazwę od błędnie przetłumaczonego holenderskiego *wijd*, co oznacza „szeroki". To tak naprawdę nosorożce szerokie.

Beck spojrzał na Ala.

– Chodzi o pyski. – Wuj poklepał się po twarzy. – Szerokie i proste, w odróżnieniu od czarnych.

Beck widział, że pysk nosorożca czarnego ma spiczaste zakończenie.

– Ale piękny – mruknęła Samora. Beck przy-taknął.

Patrzyli, dopóki nosorożec nie skurczył się do migoczącej w skwarze kropki. Potem Al odpalił silnik i odjechali.

Dróżka opadła w płytką dolinę. Po obu stronach wznosiła się ziemia, na chwilę stracili więc wspaniały widok na horyzont. Stado pasących się zebr zerwało się kłusem, by uciec przed pojazdem. Wolały po prostu nie kusić losu i uniknąć potencjalnego zagrożenia.

Przejechali przez skupisko drzew i krzewów, omijając łukiem ostrą pochyłość, przez którą nie widzieli więcej niż na odległość dwudziestu metrów. Al skręcił za róg, po czym gwałtownie zahamował.

Na środku drogi stał kolejny nosorożec, zwrócony w ich stronę. Sądząc po wcześniejszym opisie Samory, Beck domyślał się, że ten jest z gatunku białych. Skórę miał bladoszarą, a pysk zaciśnięty w gniewną linię.

Przede wszystkim jednak był ogromny – o jedną czwartą dłuższy od nosorożca czarnego, którego widzieli wcześniej, a także od niego wyższy. Zastawiał sobą całą drogę, nie było więc jak go ominąć. Głowę miał blisko ziemi, a uszy położone do tyłu. Nosorożec opuścił głowę, ryjąc ziemię rogiem.

Przez kilka sekund nikt się nie poruszył.

– Cofnę... – zaczął Al, kładąc dłoń na dźwigni zmiany biegów.

– Nie – sprzeciwiła się Samora, łapiąc go za rękę. Jej głos przybrał dziwny ton. – Po prostu wyłącz silnik.

– Wyłączyć?

– Wyłącz.

Al zgasił silnik, raptownie przekręcając kluczyk w stacyjce. W nagłej ciszy, która zapadła, słyszeli oddech nosorożca – gwałtowne sapnięcia z pary olbrzymich nozdrzy.

– To zwierzę potrafi biec szybciej, niż zdążysz przyspieszyć – powiedziała powoli Samora – i wszystko wskazuje na to, że szykuje się do szarży na nas.

ROZDZIAŁ 15

Nosorożec opuścił głowę i potarł rogiem o ziemię. Potem uniósł ją znów i spojrzał na nich. Beck popatrzył mu w oczy, ale szybko odwrócił wzrok. Niektóre zwierzęta brały to za wyzwanie. Nie chciał ryzykować, że sprowokuje nosorożca.

Zastanawiał się, jak wygląda taka szarża. Czy dżip jest mocniejszy, niż na to wygląda? Czy oparłby się ogromnej masie nosorożca? Czy też zwierzę zwyczajnie zgniotłoby go niczym folię aluminiową?

Beck żałował, że Samora kazała Alowi zgasić silnik. Rozumiał jednak, że jeśli dźwięk dżipa jest jedną z rzeczy, które mogą rozjuszyć nosorożca, to dla ich bezpieczeństwa lepiej go wyłączyć.

– Lwy odstraszają napastników rykiem – powiedziała cicho Samora, nie odrywając oczu od zwierzęcia. – Nosorożce posługują się mową ciała.

Nosorożec znów opuścił głowę i fuknął potężnie przez nozdrza, podrywając z dróżki małą chmurę pyłu.

– Właśnie tak: wypuszczają powietrze przez nos, ryją rogiem... – podjęła Samora.

– Co go tak rozzłościło? – zapytał Beck.

– Może chodzi o terytorium: myśli, że ta droga należy do niego. A może po prostu miał kiepski dzień w pracy.

Beck uśmiechnął się półgębkiem na ten żart. Starał się zapamiętać te informacje, wkładając je do odpowiedniej przegródki w mózgu. Jego specjalnością był survival – potrafił przeżyć w terenie na tyle długo, by dotrzeć z punktu A do punktu B. Potrafił znaleźć jedzenie i zbudować schronienie, ale była spora szansa, że prędzej czy później każdy survivalowiec natknie się na dzikie zwierzęta, warto więc było wiedzieć, jak się wtedy zachować.

Uśmiechnął się, mówiąc sobie w duchu: *W takich wypadkach najlepiej jest zachować dystans.*

Nosorożec pokręcił głową, jakby chciał zrzucić coś z czubka rogu. Potem odwrócił się powoli i oddalił spokojnym krokiem w zarośla. Beck wypuścił powietrze z ulgą, niemal tak mocno jak sapiący nosorożec na odchodne.

– Mogę już włączyć silnik? – zapytał Al.

– Pewnie. – Samora uśmiechnęła się niewyraźnie. – Zanim zmieni zdanie.

Jeździli cały dzień i Beck nie mógł się już doczekać, aż wysiądzie z dżipa. Park miał dobre drogi, ale z nich nie korzystali, a Al reagował na wszystkie koleiny tak, że po prostu pakował się w nie, udając, że ich tam nie ma. Majestatyczny afrykański krajobraz w jakimś stopniu rekompensował tę wyboistą przejażdżkę, ale Beck cieszył się już na myśl o podziwianiu tych widoków z werandy stróżówki.

Barwy dnia przechodziły powoli w żółć i czerwień. Beck wiedział, że tu zachód nadchodzi szybko. Im bliżej równika, tym szybciej słońce wschodzi i zachodzi. Tu, w narożniku Republiki Południowej Afryki, znajdowali się o wiele bliżej równika niż w Londynie. Według Ala mieli dotrzeć na miejsce za jakieś pół godziny.

I wtedy Beck zobaczył sępy. Najpierw zauważył jakiś ruch kątem oka. Czarne plamki na tle błękitnego nieba, krążące wysoko nad *veldem*. Podniósł na nie wzrok.

Były brzydkimi, pozbawionymi gracji ptakami i nie wzbudziły jego sympatii. Na ziemi ich postrzępione czarne pióra i wygięte szyje sprawiały, że przypominały starców idących na pogrzeb w starych wystrzępionych garniturach. Szybując w powietrzu, sprawiały groźne wrażenie, jakby tylko czekały na to, aż odór śmierci ściągnie je na ziemię.

– Pamiętasz, jak mówiłaś, że sępy są pierwszą oznaką tego, że stało się coś złego? – zawołał Beck, przekrzykując hałas kołyszącego się dżipa. – No to spójrz w górę...

ROZDZIAŁ 16

Samora i Al nie musieli nic mówić. Profesor skręcił kierownicę i rozkołysany dżip stoczył się z dróżki, przedzierając się przez trawę w stronę miejsca, nad którym krążyły sępy.

– Wspomniałam już, że sępy też mają problem z kłusownikami? – zagadnęła Samora.

– Jak to? – zdziwił się Beck.

– Kiedy zabijają nosorożca, strażnicy poznają to po ptakach, które zaczynają krążyć. Dlatego niektórzy kłusownicy podkładają truciznę w padlinie, chcąc w ten sposób zabić sępy, żeby nie krążyły i nie zdradziły ich obecności. W okresie godowym jednym nosorożcem może się najeść sześćset sępów. Ale jeśli zabijesz dorosłe, ich pisklęta też zginą, bo nie będzie miał kto ich nakarmić, co znaczy, że jeden martwy nosorożec to tysiąc dwieście martwych ptaków.

Beck z niedowierzaniem pokręcił głową.

– Aż wstręt bierze, nie sądzisz? Co za okrucieństwo. – Znów spojrzał w niebo.

Nad skupiskiem zarośli krążyło pięć czy sześć sępów. Szybowały na szerokich ciemnych skrzydłach, unosząc się swobodnie w prądach ciepłego powietrza. Jeden z nich wylądował wśród roślin, co oznaczało, że gdzieś tam znajduje się otwarta przestrzeń.

Al przejechał trzy czwarte drogi wokół zarośli, zanim znaleźli prześwit. Dżip przecisnął się na drugą stronę i stanął.

Serce Becka zamarło, gdy zauważył nosorożca leżącego na boku. Potem zobaczył róg na jego nosie, wciąż nietknięty. A zatem nie padł ofiarą kłusowników.

Kiedy Al podjechał bliżej, Beck stwierdził, że boki nosorożca unoszą się i opadają. Żył, więc sępy nie zdobyły się na odwagę, by zacząć go jeść. Były oportunistami – wolały poczekać, aż ktoś ich wyręczy w zabiciu ofiary.

Trzy czy cztery z nich wylądowały w pobliżu i czekały w milczeniu. Kiedy dżip się zbliżył, rozpostarły skrzydła i odskoczyły niezgrabnie. Al sięgnął do stacyjki.

– Poczekaj chwilę... – powstrzymał go Beck. Wspiął się na siedzenie i rozejrzał wokoło. – Zawsze warto się upewnić, że w pobliżu nie ma innego nosorożca, który mógłby się wściec. To trwa tylko chwilę, a może uratować ci skórę, jeśli dasz się zaskoczyć, więc ostrożności nigdy za wiele! – Uśmiechnął się łobuzersko. Al zgasił silnik i wysiedli.

Nosorożec był samicą. Jedno oko, które widzieli, miała półotwarte, a jej uszy drgały, odganiając muchy. Ze skórzastej wargi spływał na ziemię gęsty strumień śliny. Świst powietrza z nozdrzy po obu stronach szerokiego płaskiego pyska brzmiał tak, jakby dochodził z maszyny, a nie z żywego stworzenia.

Podeszli ostrożnie, wypatrując ewentualnych zagrożeń. Samora położyła delikatnie dłoń na nosorożcu, ale ten się nie poruszył.

– Chyba nie została postrzelona. Po prostu jest chora – oceniła.

Beck pamiętał, jak kłusownicy zaczęli obchodzić się z sępami.

– Trucizna?

– Raczej nie. Zazwyczaj podkładają ją w martwych zwierzętach. Jej potrzeba weterynarza. Czy w dżipie jest radio?

– Nie zauważyłem – odparł ponuro wuj chłopca, ale pobiegł to sprawdzić. Zajęło mu to tylko chwilę. – Nie, nie ma – potwierdził swoje podejrzenia.

– W stróżówce na pewno ktoś będzie wiedział, co zrobić – powiedziała Samora.

– No to jedziemy. Wskakujcie oboje...

– Chcę zostać – sprzeciwiła się dziewczyna.

Al uniósł brwi.

– Bez obrazy, Samora, znasz tę okolicę lepiej niż my, ale czy to bezpieczne? No wiesz, tu są lwy, hieny...

– To lepiej się pospieszcie – odparła po prostu.

Al się nie kłócił. Busz był dla Samory jak drugi dom.

– No dobra. Beck, jedziemy...

– Nie. Ja też zostaję.

Zmierzyli się wzrokiem. Beck wiedział, że tym razem jego wujek pomyślał o bardziej niebezpiecznych drapieżcach niż lwy i hieny.

Nie był do końca pewien, jak Samora może pomóc nosorożcowi, ale jeśli była na to jakaś szansa, chciał przy tym być.

– Nie mogą wiedzieć, że tu jesteśmy, Al – tłumaczył spokojnie Beck. Tylko jego wujek mógł zrozumieć, o kogo mu chodziło. – A chyba nie chcesz zostawić Samory samej, co? – dodał szybko. – Możesz zostać, ale ja nie umiem prowadzić auta – dorzucił zawadiacko.

Al w końcu skinął głową i wdrapał się na siedzenie kierowcy.

– Będę za jakąś godzinę, w zależności od tego, jak szybko się uwiną w stróżówce.

Dżip wycofał się z zarośli, a Beck i Samora zostali sami z umierającym zwierzęciem.

ROZDZIAŁ 17

Beck wyciągnął rękę, żeby po raz pierwszy dotknąć nosorożca. Zrobił to z namaszczeniem, bo kto by chciał, żeby obłapiał go jakiś obcy? Pod jego palcami skóra przypominała ciepłe, wyschnięte błoto. Trudno było uwierzyć, że należy do żywego zwierzęcia.

– Podrap ją pod gardłem. One to lubią – podpowiedziała Samora.

Beck tak właśnie zrobił. W odróżnieniu od pancernego ciała, cienka skóra gardła sprawiała wrażenie miękkiej jak u noworodka. Czuł się zaszczycony, że może przynieść pociechę, choć niewielką, temu ogromnemu stworzeniu. Niestety, nie pomyśleli, że wodę zostawili w dżipie; w przeciwnym razie mogliby napoić nią nosorożca.

– Wiesz, co z nią jest?

Samora przechodziła powoli wzdłuż boku zwierzęcia, zaglądając i wkładając palce we wszystkie zakamarki jego ciała.

– Nie ma ran. Nie została postrzelona. A one nie mają żadnych naturalnych wrogów poza ludźmi. To może być jakaś infekcja bakteryjna. Nie podoba mi się ta cała ślina ściekająca jej z buzi.

Beck przypomniał sobie nagłówek, który zauważył w czasopiśmie linii lotniczych czytanym przez Ala podczas lotu do Johannesburga.

– A nie ma czasem czegoś takiego jak „nosowirusy"?

Samora zdusiła śmiech, ale nie mogła ukryć rozbawienia.

– Chyba norowirusy, Beck. One wywołują biegunkę u ludzi. Nosorożce nie mogą się nimi zarazić!

– Aha. No tak... – Beck poczuł, że się rumieni, i oboje zachichotali.

Dalej głaskał nosorożca po gardle, a Samora wróciła do oględzin. Rozchyliła grube powieki i przyjrzała się ślepiom zwierzęcia.

– Jest tu parę kleszczy, ale to normalne. Czasem zapadają na trypanosomiazę przenoszoną przez muchy tse-tse i wtedy zdychają powoli. Żeby to potwierdzić, musielibyśmy jednak przebadać jej krew.

Samora odsunęła się w przysiadzie i spojrzała na nosorożca wilgotnymi oczami.

– Może to być też zwyczajna kolka. Skręcone jelito: pożywienie nie przechodzi tak, jak powinno, więc gnije w środku i ją zatruwa.

– I jak weterynarz może jej pomóc?

– Może sprawdzić, czy mam rację. Jeśli to trypanosomiaza, to możemy jej podać antybiotyki. A jeśli to skręcone jelito... – Kącik jej ust drgnął. – Możemy je odkręcić. Wkładasz rękę do środka, wymacujesz zator i usuwasz, a wtedy wszystko od razu wylewa się pod ciśnieniem. Kupa zabawy, z przewagą kupy!

Próbowała obrócić to w żart i Beck uśmiechnął się, puszczając jej oko. Nagle twarz Samory znów posmutniała. Beck wiedział, że dla niej to okropne przeżycie – jeden z jej ukochanych nosorożców umiera powoli na jej oczach, a ona nic nie może na to poradzić.

Czekając na weterynarza, robili więc, co mogli, by uśmierzyć cierpienia zwierzęcia. Beck dalej głaskał je po podgardlu, a Samora drapała fałdy skóry przy uszach. Jeśli były to ostatnie chwile nosorożca, to mogli przynajmniej sprawić, by odrobinę łatwiej było je znieść. Zaczynało szarzeć, słońce znikło już za otaczającymi ich zaroślami. Beck był całkiem pewien, że ta samica nie doczeka już kolejnego świtu.

Nosorożec wypuścił przez nozdrza ostatnie, gwałtowne sapnięcie. I było po wszystkim. Boki samicy po prostu już się nie unosiły. Jej powieki przestały mrugać i nastała cisza.

Samora spuściła głowę, przygryzając drżącą wargę. Beck wyciągnął rękę z wahaniem i objął ją ramieniem.

– Tak mi przykro – powiedział. Dziewczyna ścisnęła mocno jego dłoń i się rozpłakała.

Nagle Beck wyłowił dźwięk zbliżającego się auta. Jego silnik ostro gazował – kierowca wyraźnie pędził przez *veld* na przełaj.

– Za późno – mruknął.

Oboje wstali, czekając na Ala i weterynarza ze stróżówki. Ale to nie dżip Jednostki Zielonej przedarł się przez zarośla.

Wpierw Beck pomyślał, że znów znalazł go James. Ale nie była to też ta lśniąca czarna terenówka z przyciemnianymi szybami, którą pamiętał, a poobijany pikap z płóciennym dachem. Szarpnął gwałtownie i zatrzymał się z przed nimi.

Trudno było powiedzieć, kto jest bardziej zdziwiony – Samora i Beck czy dwaj mężczyźni spoglądający na nich z wysokości kabiny.

Kierowca wyskoczył i podszedł do nastolatków. Nosił zniszczony opadający kapelusz i karabin z długim zakrzywionym magazynkiem. Warknął coś, co wyraźnie było pytaniem w języku, którego Beck nie rozumiał.

Drugi mężczyzna wysiadł wolniej i zbliżył się do nich. Trzymał karabin w pogotowiu, stukając palcem o spust. Wyraźnie się zastanawiał, czy powinien go użyć.

– Beck... – odezwała się cicho Samora, ale jemu nie trzeba było mówić, kim są ci ludzie.

Przełknął ślinę.

Ci ludzie byli kłusownikami.

ROZDZIAŁ 18

Dwaj mężczyźni rozmówili się szybko, a potem kierowca popędził do furgonetki. Wrócił z piłką do metalu i brązowym workiem. Beck nagle uświadomił sobie, co teraz nastąpi.

– Nie!

Stanął przed nosorożcem, żeby zagrodzić drogę kłusownikowi. Ten jednak po prostu odepchnął go na bok, obalając na ziemię. Samora rzuciła się na mężczyznę, ale została potraktowana tak samo. Zanim Beck się podniósł, mężczyzna klęczał już przy martwym nosorożcu i zaczynał piłować róg u podstawy.

Mimo wszystko Beck był gotowy, żeby spróbować go powstrzymać, ale drugi kłusownik krzyknął:

„Hej!" i wymierzył karabin prosto w niego. Nie wyglądał na takiego, który zawahałby się przed naciśnięciem spustu.

Dwoje nastolatków nie miało więc innego wyjścia, niż przyglądać się bezradnie, jak mężczyzna z piłą wykonuje swe rzeźnicze dzieło. Po twarzy obserwującej tę makabrę Samory spływały łzy, więc odwrócili się – choć nie mogli wytłumić brutalnego dźwięku piły kłusowników bezczeszczących zwłoki pięknego zwierzęcia.

Po kilku minutach róg był już odpiłowany. Beck spojrzał w tamtą stronę i ujrzał w jego miejscu ziejącą krwawą dziurę. Zrobiło mu się niedobrze, a Samora łkała obok.

Mężczyzna stojący przed nimi zamachał im przed twarzami lufą karabinu i rzucił pytanie:

– Quem é você? O que você está fazendo?

– Nós estávamos tentando ajudar o rinoceronte – odpowiedziała Samora, a Beckowi przetłumaczyła: – Chce wiedzieć, kim jesteśmy i co tu robimy. Powiedziałam mu, że próbowaliśmy pomóc nosorożcowi.

– Co to za ludzie?

– Mozambijczycy. Mówią po portugalsku.

– Hej! – Mężczyźnie najwyraźniej nie spodobało się to, że rozmawiają ze sobą po angielsku. Wymachiwał agresywnie bronią od Samory do Becka i zadawał kolejne pytania. Dziewczynka odpowiadała najspokojniej, jak potrafiła, choć głos jej drżał.

I nic dziwnego, skoro mierzą do nas z broni – pomyślał Beck. To naturalna reakcja na strach: zaczątek paniki.

Nie pierwszy raz trzymali go na muszce, ale to nie znaczyło, że było mu łatwiej. Całe jego ciało było napięte od nerwów, a włoski na plecach stanęły mu dęba. Miał przeczucie, że to wszystko źle się skończy.

– Ech – burknął kłusownik ze wstrętem i nagle podszedł do wspólnika.

Samora i Beck patrzyli, jak odchodzi, a w chłopcu znów rozpalił się gniew, gdy zobaczył skrwawiony róg nosorożca w ręku mężczyzny z piłą.

– Devemos matá-los – powiedział ten z karabinem. Samora głośno wciągnęła powietrze i zesztywniała. – Eles viram as nossas caras.

Z twarzy Samory odpłynęły kolory. Przetłumaczyła słowa Beckowi:

– P-powiedział: „Powinniśmy ich zabić. W-wiedzą, jak wyglądamy".

– Eu não estou nessa para matar crianças! – sprzeciwił się gniewnie kłusownik trzymający róg.

Samora znów wcieliła się w rolę tłumacza, szepcząc:

– Powiedział: „Nie jestem tu po to, żeby zabijać dzieci".

Beck nie odpowiedział. Widział już wcześniej kłótnie zbirów takich jak oni. Sprzeczali się dalej.

– Wygląda na to, że to zrobią – szepnął z walących sercem, wskazując skinieniem na lewo. – Biegnij w tę stronę. A ja w tamtą... – Spojrzał na prawo.

W końcu mężczyzna z karabinem odwrócił się do nich. Dwoje przyjaciół zebrało się do ucieczki w ostatniej rozpaczliwej próbie ratowania życia. Mężczyzna jednak tylko machnął bronią na furgonetkę.

– Do tyłu – rozkazał ostrym tonem. – Szef zdecydował.

Rzucało nimi z tyłu pikapa tak bardzo, że wcześniejsza jazda kołyszącym się dżipem wydawała się przyjemnością. Stopy i ręce mieli związane zwojami starego sznura, który wpijał się w skórę. Na zewnątrz zapadła już ciemność, więc ledwie się widzieli w mroku pod plandeką. Panowała też straszna duchota.

Nie było tu siedzeń, jedynie rdzewiejąca i brudna metalowa podłoga, na której mogli przycupnąć, gdy furgonetka jechała rozkołysana po *veldzie*. Ręce mieli związane za plecami, nie mogli więc niczego się chwycić. Kiedy udawało im się podźwignąć, auto wpadało w kolejny wybój i znów ich wywracało.

Mimo to Beck zdołał przesunąć się do boku ich chybotliwego więzienia. Opuścił głowę i próbował wyjrzeć spod plandeki. Gdy kolejny wstrząs sprawił, że uderzył brodą w metalową krawędź, zmełł w ustach przekleństwo.

– Co robisz? – zapytała Samora. Na początku rozmawiali szeptem, bo wydawało im się, że tak będzie lepiej, ale furgonetka robiła tyle hałasu, że musieliby mówić naprawdę głośno, żeby ci z przodu ich usłyszeli. Beck wątpił, że ich porywacze nadstawiają uszu.

– Chcę zobaczyć gwiazdy – odparł. Oparł głowę o metal i wytężył jedyne oko, które mógł zbliżyć do szpary. – Będę mógł wtedy ustalić, w którym kierunku jedziemy, i jak daleko zajechaliśmy.

– Przyznaję, pomysłowy jesteś, Becku Grangerze. – Zawiesiła głos. – Ale mój zegarek ma GPS.

Beck odwrócił się do niej. W mroku widział jedynie niewyraźne kontury, ale był niemal pewien, że Samora się uśmiecha.

– Fajnie. – Przysunął się do niej.

Niełatwo było skorzystać z zegarka. Żeby Beck mógł wymacać przyciski, musieli usiąść do siebie plecami. Potem trzeba było się bardzo szybko odwrócić i spojrzeć na tarczę, bo podświetlenie działało tylko przez dwadzieścia sekund.

W końcu jednak ustalili to, co Beck już wiedział. Pikap kierował się do granicy z Mozambikiem.

ROZDZIAŁ 19

Poza czekaniem niewiele mogli zrobić.

Zbadali każdy centymetr ich małego ruchomego więzienia, ale nie znaleźli niczego, co mogłoby im się przydać. Kłusownicy musieli przewozić wszystkie narzędzia i broń w kabinie.

Beck przesunął się wzdłuż boku furgonetki do miejsca, w którym plandeka łączyła się z metalową krawędzią. Węzły mocujące osłonę znajdowały się na zewnątrz, nie mógł więc ich dosięgnąć nawet gdyby ręce miał wolne. Klapa z tyłu też zasunięta była od zewnątrz.

Co jakiś czas zerkał na zegarek Samory, by sprawdzić, ile drogi przebyli. Przekładał tę liczbę w myślach na długość marszu z powrotem – zakładając, że w ogóle uda im się uciec.

Nie, uda im się, już on się o to postara.

Nie mieli jednak szans uciec z tej furgonetki. Mogli jedynie czekać, aż dotrą do celu w Mozambiku. Miał nadzieję, że nie będzie to zbyt daleko od granicy.

Minęły trzy godziny, zanim auto zatrzymało się tak gwałtownie, że zarzuciło ich w przód, na kabinę. Przez plandekę przedarło się sztuczne pomarańczowe światło. Słychać było kilka głosów, wszystkie męskie, mówiących po portugalsku. Nagle osłona została ściągnięta, a klapa opuszczona. Ich stary znajomy z karabinem gestykulował gwałtownie.

– Sair!

Beck nie musiał znać języka, żeby zrozumieć, że każe im wysiąść. Przesunęli się na tył furgonetki, skąd wyciągnięto ich siłą i rzucono na ziemię. Zdołali wylądować na nogach, choć Beck był tak odrętwiały, że zaraz się zatoczył. Od czasu pojmania nie mógł wstać, a wpijające się w ciało sznury odcięły mu dopływ krwi.

Furgonetka zatrzymała się w niewielkim ogrodzonym obozie. Z każdej strony stały niskie zabudowania, niektóre zamieszkane, inne będące jedynie szopami i budynkami gospodarczymi. Było tam też zdecydowanie za wielu ludzi jak na gust Becka – nawet nie odwracając głowy, widział pięciu, nie licząc dwóch znajomych oprychów. Im więcej ich jest, tym trudniej będzie im uciec. Kilku z nich wdało się w głośną kłótnię z ich porywaczami.

Samora stała obok, równie chwiejnie jak Beck.

– Tamci chcą wiedzieć, czemu ci dwaj przywieźli ze sobą dzieci – mruknęła. Beck już się tego domyślił.

Jeden z porywaczy uniósł worek z odpiłowanym rogiem nosorożca, co najwyraźniej nieco udobruchało pozostałych.

Nagle podszedł do nich jeden z mężczyzn. Gdy wyjął zza pasa nóż i z okrutnym uśmiechem pomachał nim przed ich twarzami, błysnęła stal. Beck poczuł ucisk w żołądku, ale zacisnął zęby i naprężył ciało, gotowy rzucić się do przodu. Jeśli chcieli ich zadźgać, a nie zastrzelić, to mógł przynajmniej zginąć w walce – co mogło z kolei dać Samorze okazję do ucieczki.

Jednak mężczyzna tylko przykucnął i przeciął więzy krępujące kostki Samory. Potem zajął się Beckiem. Teraz mogli stać normalnie, choć ręce nadal mieli związane.

Beck przeskoczył z nogi na nogę, żeby przywrócić krążenie, ale zaraz znów się zatoczył, gdy pchnęli go w krzyż i popędzili w stronę jednego z budynków gospodarczych. Dla ochrony przed wężami i robakami postawiono go, podobnie jak resztę, na podporach.

Beck postawił już jedną nogę na stopniach, gdy głos krzyknął:

– Hej!

Zatrzymano ich gwałtownym szarpnięciem. Mężczyzna z nożem sięgnął za plecy Samory i chwycił jej skrępowane nadgarstki. Skrzywiła się, gdy pociągnął jej dłonie w górę, by spojrzeć na zegarek, po czym odpiął pasek i zdjął go.

– Opłata za przewóz! – zawołał z szerokim uśmiechem, unosząc go.

Inny mężczyzna zrobił to samo z zegarkiem Becka. Potem znów popędzili ich do budynku. Kiedy więźniowie się odwrócili, zobaczyli, jak tamci podają sobie z dumą nową drogą zabawkę.

Beck cieszył się, że nie zostawili wskazań GPS na ekranie zegarka. Nie chciał, żeby ci ludzie zorientowali się, że ich zakładnicy wiedzą dokładnie, gdzie się znajdują.

We wnętrzu szopy było niemal tak ciemno jak w bagażniku furgonetki. Przez krawędzi przybitej na okno płyty ze sklejki prześwitywała cienka obwódka światła. Beck zauważył poobijaną drewnianą ramę łóżka, stolik i dwa krzesła. Wepchnięto ich do środka, zatrzaskując za nimi drzwi. Chłopiec usłyszał dźwięk klucza przekręcającego się w zamku. Potem kroki na stopniach. I w końcu zapadła cisza.

Nastolatkowie spojrzeli na siebie w mroku. Rozwiązano im nogi, ale ręce nadal mieli skrępowane.

– A więc straciliśmy zegarek – stwierdziła Samora.

Beck pokręcił głową.

– Zapamiętałem nasze położenie.

106

Samora uśmiechnęła się, wyraźnie sceptyczna.
jej mina mówiła: *Ach, nie wątpię, Becku Grangerze!*
W końcu to tylko czternaście cyferek oznaczających
długość i szerokość geograficzną.

– A tak serio, Beck?

Chłopiec nie odpowiedział, bo skupił się na
rozglądaniu po szopie.

– Dobra. Sprawdźmy, co tu mamy, żebyśmy
mogli wydostać się z tej śmierdzącej rudery.

ROZDZIAŁ 20

Przeszukanie pomieszczenia nie trwało długo. Nie było tu żadnych użytecznych narzędzi – nic, co Beck od razu uznałby za pomocne. Nawet coś takiego jak nóż czy widelec mogłoby im się do czegoś przydać.

Poszedł na tył pomieszczenia i uważnie przyjrzał się deskom – tym na podłodze i tym na ścianach. Nie dadzą rady uciec od frontu, bo to tam są wszyscy kłusownicy. Jeśli mają w ogóle uciec, muszą to zrobić tyłem.

Beck przyklęknął i zbadał deski na podłodze. Były przybite, nie przyśrubowane, a to budziło w nim pewną nadzieję. Gwóźdź wbija się prosto w drewno, a skoro tak, to można go też z niego wyciągnąć.

Patrząc przez szczeliny między deskami, ocenił, że pod szopą powinno być dość miejsca, by można się tamtędy przeczołgać. Może udałoby mu się wepchnąć coś w te szczeliny i podważyć deski.

Najpierw jednak on i Samora musieli uwolnić się z więzów.

– Chodź do światła – poprosił ją.

Dziewczyna podeszła i stanęła przy oknie, a Beck spojrzał na węzły. Teraz, gdy je widzi, może da radę jakoś się z nimi uporać.

Prawdziwy fachowiec wiedziałby, że każdą rękę należy związać z osobna, a potem powiązać je razem, żeby nie można było w żaden sposób poluzować więzów. Jednak facet, który ich krępował, nie był fachowcem. Zawiązał po prostu dwa końce sznura i zacisnął je mocno, kilkakrotnie owijając je wokół nadgarstków.

Węzły i tak były mocne, ale Beck powinien – przynajmniej teoretycznie – zdołać w końcu się wyswobodzić. Za każdym razem, gdy napręży nadgarstki, sznur nieco się poluzuje. Problem w tym, że to potrwa całe godziny, a w tym czasie szorstkie włókna zedrą mu całą skórę z nadgarstków.

– No dobra... – Żeby móc sięgnąć do jej więzów, odwrócił się tak, że dotykali się plecami. Próbując wymacać sznur, zagryzł w skupieniu wargę. Gdyby tylko go widział, łatwiej by było poluzować więzy. Sznur był jednak stary i tłusty, a on miał ręce za plecami, co utrudniało porządne schwycenie go samymi koniuszkami palców.

– Musimy wepchnąć coś między sploty...

Gdyby to mu się udało, gdyby coś zmniejszyło nacisk – o wiele szybciej mógłby poluzować węzły. Pobłądził znów wzrokiem po pomieszczeniu.

– To krzesło nie wygląda zbyt solidnie – zasugerowała Samora.

Był to koślawy drewniany relikt innej epoki, z byle jak połączonymi nogami, siedzeniem i podporami. Każda z tych części mogła okazać się bardzo użytecznym narzędziem...

Beck nie chciał go roztrzaskiwać – za duże ryzyko, że ktoś to usłyszy.

– Racja! – Podszedł do krzesła, odwrócił się do niego plecami i niezgrabnie podniósł je skrępowanymi rękami. – Ty też spróbuj je chwycić... OK?

Stali teraz do siebie plecami, trzymając krzesło między sobą.

– A teraz trzymaj mocno i idź!

Producent krzesła na pewno użył kleju, ale to było dawno temu. Klej może zwietrzeć...

Ruszyli w przeciwnych kierunkach, napinając mięśnie i zaciskając zęby. Naprężenie oraz nienaturalne ułożenie ich ramion spowodowały, że strzyknął w nich ból. I nagle, bez ostrzeżenia, krzesło się rozpadło. Zatoczyli się do przodu ze swoim kawałkiem drewna w rękach.

– Ha! To rozumiem!

Beckowi została w dłoniach część siedzenia, noga i jedna z podpórek. Jej część, która jeszcze przed chwilą była wetknięta w otwór na innej nodze, okazała się ostro zakończona. Właśnie czegoś takiego potrzebował chłopak. Pociągnęli ponownie, by oderwać podpórkę, i tym sposobem Beck zyskał spiczasty, cylindryczny kawałek drewna długości szkolnej linijki.

– Odwróć się jeszcze raz...

Znowu przyjrzał się węzłom wokół nadgarstków Samory, szukając najbardziej prawdopodobnego

111

słabego punktu. Odwrócił się plecami i niezgrabnie, na pamięć, wepchnął czubek podpórki między dwa upatrzone kawałki sznura. Poczuł, jak wchodzi, po czym przekręcił drewno kolejny raz, żeby wepchnąć je jeszcze głębiej.

– Działa! Czuję to! – ucieszyła się Samora. Drewno rozpierało więzy, wywierając większy nacisk, niż byłyby to w stanie zrobić palce Becka. Nagle podpórka upadła na podłogę, a Samora odsunęła się, potrząsając rękami. Pozostałe więzy opadły, całkowicie uwalniając jej ręce.

– OK! Teraz ty!

Uwolnienie Becka z użyciem podpórki w wolnych rękach poszło jej o wiele szybciej. Chłopiec rozprostował ramiona, by rozluźnić obolałe i strzykające mięśnie ramion, które tak długo miał związane za plecami. Poczuł, że wraca mu krążenie.

– A teraz znajdziemy drogę ucieczki – zdecydował.

ROZDZIAŁ 21

Beck najpierw owiązał sznur wokół pasa.

– Może się jeszcze przydać! – mruknął rzeczowo.

Potem podniósł jedną z nóg krzesła, która była mocniejsza niż podpórka, i zajął się deskami podłogowymi.

Tylko jedna szczelina była na tyle szeroka, by wcisnąć w nią nogę krzesła, więc tylko tam mógł spróbować. Wepchnął ją do oporu i pociągnął, podważając deskę.

Nie było łatwo. Nie chciał ciągnąć za mocno, żeby noga się nie złamała. Mieli jeszcze trzy w zapasie, ale ktoś na zewnątrz mógł coś usłyszeć. Deski przybito dawno temu. Nie było im spieszno do tego, żeby się ruszyć.

Zacisnął zęby i pociągnął raz, a potem drugi. Pot zaczął spływać mu po czole do oczu. Deska odginała się milimetr za milimetrem.

W końcu uniosła się na tyle, że oboje mogli włożyć pod nią palce. Pociągnęli ją do góry całą siłą rąk i nóg. Deska oderwała się z głośnym protestem gwoździ, który przywiódł Beckowi na myśl pisk rozjuszonego słonia.

Nie było żadnej reakcji z zewnątrz, więc spojrzeli triumfalnie w ciemną dziurę, która miała jednak szerokość około dwudziestu centymetrów.

– Jesteś chudy. Ale nie aż tak – oceniła Samora.

– I wzajemnie... – odciął się Beck.

Przy pierwszej desce chłopiec mógł wsadzić nogę od krzesła w wąską szparę i użyć jej jako dźwigni. Teraz, gdy szczelina się poszerzyła, nie było takiej opcji. Pomyślał chwilę, a potem uklęknął i ściągnął koszulę przez głowę.

– Zgrzałeś się? – zażartowała Samora.

Beck tylko się uśmiechnął i położył na brzuchu przy szczelinie. Owinął koszulą czubek nogi, a potem wsadził go ostrożnie między deski tak, że owinięty koniec znalazł się pod tą, którą chciał podważyć. Chwycił nogę krzesła obiema rękami i gwałtownie szarpnął do góry, napierając na deskę od dołu. Uderzyła w drewno z głuchym łoskotem. Materiał koszuli pochłonął dźwięk, dzięki czemu nikt na zewnątrz nie mógł tego usłyszeć, nawet gdyby nasłuchiwał.

– Poruszyła się – zameldowała Samora.

Beck mruknął i powtórzył czynność. A potem jeszcze raz. Za czwartym razem deska w końcu uniosła się o centymetr. To wystarczyło, żeby włożyć pod nią palce i ją odgiąć. Drewno znów zatrzeszczało i zaskrzypiało. Beck był pewien, że dało się to słyszeć nawet w Johannesburgu. Z zewnątrz nie podniosły się jednak żadne gniewne krzyki. Oderwali deskę, robiąc otwór akurat na tyle szeroki, by jedna osoba mogła się przez niego przecisnąć.

Beck założył koszulę z powrotem i kilka razy wetknął nogę od krzesła w otwór, dziobiąc nim w przód i w tył. Szopa została postawiona nad ziemią, by węże i inne stworzenia mogły wpełznąć co najwyżej pod nią, a nie do środka. Problem w tym, że faktycznie mógł być tam teraz jakiś paskudny gad.

Chłopiec nie wyczuł jednak niczego czubkiem nogi od krzesła. Sięgnął nią niżej i kilka razy postukał o suchą ziemię, po prostu po to, żeby zasygnalizować swoje zamiary.

– Węże zazwyczaj schodzą ci z drogi, gdy wiedzą, że się zbliżasz – wyjaśnił Samorze. Ale nagle uświadomił sobie, że palnął głupstwo, zapominając, które z nich urodziło się w Afryce i wychowało w parku safari.

– Nie mamby. – Jej zęby błysnęły bielą w ciemnościach. – One akurat zrobią wszystko, byle tylko cię capnąć. I są zabójcze.

Beck miał już opuścić nogę w otwór. Po tych słowach zawahał się jednak, ale szybko zdecydował: Ryzyk-fizyk. Zsunął się, aż jego stopy dotknęły ziemi. Deski podłogowe miał teraz na wysokości pasa. Opuścił się niżej, wstrzymując oddech, ponieważ otwór był bardzo wąski.

Samora szybko poszła w jego ślady, a potem z tłukącymi w piersiach sercami zaczęli czołgać się w stronę brzegu szopy...

ROZDZIAŁ 22

Przestrzeń pod szopą pachniała zimną suchą ziemią
i drewnem. Beck spojrzał w stronę obozu. Przez luki
w stopniach widział furgonetkę, która ich tu przywio-
zła, zaparkowaną po jednej stronie, a także pozostałe
budynki. W niektórych paliły się światła, w innych
było ciemno. Nie widział nikogo w pobliżu, choć
słyszał głosy, a gdzieś leciała muzyka z radia.

Przekręcił się, żeby spojrzeć w przeciwnym kierunku. Kilka metrów od siebie widział brzeg szopy.
Księżyc świecił na tyle jasno, że zauważył suchą
trawę i zarośla, całkiem blisko, ale dzieliła ich od
nich otwarta przestrzeń. Mogli przebiec pod osłonę
zarośli, ale jeśli ktoś akurat by patrzył, na pewno
by ich spostrzegł. Musieli jednak podjąć to ryzyko.

– Chodź – szepnął. – I uważaj na mamby.

Zaczęli czołgać się przez półmrok w stronę otwartej przestrzeni. Beck nadal wymachiwał przed sobą nogą krzesła. Nie widział wyraźnie ziemi przed sobą, a nie chciał położyć gołej ręki na czymś, co mogło go użądlić, ukąsić albo spowolnić ich ucieczkę, jeśli się stąd wyrwą. Jedno ukąszenie węża i znaleźliby się w poważnych opałach – sami w buszu, bez pomocy medycznej.

Samora wynurzyła się spod szopy i stanęła za nim. Spojrzeli w stronę zarośli. Dobiegnięcie do nich zajmie im jakieś dziesięć sekund, ale przez ten czas będą zupełnie odkryci.

– Gotowa? – zapytał Beck. Wsadził nogę od krzesła za pas. Była mocna i poręczna, mogła być więc użytecznym narzędziem; lepsze to niż przypadkowe patyki, których musiałby szukać po drodze. – OK, no to...

Beck gwałtownie odwrócił głowę, bo w ciemnościach rozległ się wystrzał. Potem kolejny. Ten drugi brzmiał nieco inaczej, co oznaczało, że ktoś odpowiedział ogniem. Nagle mrok nocy rozdarła cała seria z broni. Nie była to zwykła salwa w powietrze na wiwat. To była regularna strzelanina.

Beck i Samora spojrzeli na siebie szerokimi oczami w świetle księżyca.

– Myślisz, że to ludzie twojego ojca?

Wzruszyła ramionami, równie zaskoczona co on.

– Albo policja, albo wojsko... Kłusownicy mają wielu wrogów. Nie wyłączając innych kłusowników.

Oboje wiedzieli, że nierozsądnie będzie się od razu ujawnić.

– Zostańmy w ukryciu i zobaczmy, jak rozwinie się sytuacja – zaproponował Beck szeptem. – Jeśli to sojusznicy, to świetnie, ale jeśli nie, musimy być gotowi do ucieczki.

Wytknęli głowy za krawędź szopy. Kłusownicy wylali się już ze swojej kwatery i w tej chwili ostrożnie obchodzili obóz, wytężając wzrok w mroku. Ilekroć któryś z nich coś zauważył, unosił broń i wypalał serię w ciemność. Żółty płomień buchał z końca lufy niczym sztylet przecinający noc.

Druga strona sporadycznie odpowiadała ogniem, za każdym razem z innego kierunku.

Wyglądało na to, że obóz jest otoczony. Beck znów zerknął za siebie, tam, gdzie planował uciec. Wydawało mu się, że akurat stamtąd nie dobiegają żadne strzały.

– Hej, to musi być ich auto – odezwała się nagle Samora. Pociągnęła go za ramię, by pokazać mu, gdzie patrzy.

Beck nie zauważył go wcześniej, bo wóz stał dość daleko po przeciwnej stronie. Czarna karoseria na równie czarnym tle była świetnym kamuflażem. Dostrzegł ją teraz tylko dlatego, że światło księżyca odbiło się od kilku części – tu mignął kołpak, tam zderzak. Wtem, zupełnie, jakby patrzył na optyczną iluzję, jego mózg poskładał te elementy w całość – i Beck stracił nadzieję.

To był ten czarny dżip, który chłopiec widział ostatnio w Soweto – a więc w tej chwili do kłusowników strzelał James albo, co bardziej prawdopodobne, ten wielki facet przypominający goryla.

Tak czy inaczej, oznaczało to, że Lumos go znalazł. Znowu.

ROZDZIAŁ 23

– Co się stało? – zaniepokoiła się Samora.

Beck uświadomił sobie, że mruknął coś pod nosem.

– Długo by opowiadać, ale to nie nasz ratunek. – Jak, do cholery, Goryl ich znalazł? – Powinniśmy pobiec w te krzaki i uciec najdalej, jak się da – dodał szybko.

Samora nie zapytała dlaczego. I tak nie było czasu na dyskusję.

– Chodź za mną – szepnął Beck, po czym szybko przebiegli przez otwartą przestrzeń, zostawiając za sobą obóz i czarnego dżipa.

Biegnąc, chłopak bacznie przyglądał się cieniom, szukając ewentualnych wspólników, których

James mógł tu sprowadzić. Po chwili znaleźli się w zaroślach i musieli zwolnić, uważnie wybierając drogę, by nikt ich nie zauważył.

Strzały i krzyki przycichły. Zatrzymali się na chwilę, nadstawiając uszu. Nagle usłyszeli trzask drzwi, a za chwilę warknięcie uruchamianego silnika dobiegające ze strony czarnego dżipa – był bliżej, niż Beck przypuszczał. Usłyszeli zgrzyt skrzyni biegów, gdy samochód cofnął na wstecznym i zawrócił. Kierowca nie włączył świateł, które stanowiłyby łatwy cel dla nadal czających się w pobliżu uzbrojonych kłusowników. Dżip ruszył z rykiem w noc, rozjeżdżając krzaki i krzewy na swojej drodze.

I w końcu pozostała jedynie cisza. Jeszcze tylko nocna melodia owadów brzęczała im uszach do czasu, aż ich mózgi zaczęły ją ignorować jako zwykły element tła.

– No dobra – odezwała się Samora. – Chyba należy mi się jakieś wyjaśnienie.

– Masz rację – zgodził się Beck. – Ale najpierw powinniśmy stąd odejść. Przekroczyliśmy granicę, prawda?

– Tak. Jesteśmy w Mozambiku, jakieś, hmmm... szesnaście kilometrów od granicy... Nie więcej. Ale to nadal teren Parku Narodowego Krugera. Każdy strażnik powinien być w stanie nam pomóc.

– Niby tak, ale znalezienie stróżówki to jak szukanie igły w stogu siana. Poza tym nie mamy paszportów i jesteśmy w innym kraju – zauważył Beck. – Nawet najbardziej przyjazny strażnik automatycznie zgłosi nas władzom.

Brwi Samory powędrowały do góry.

– A to źle?

– Tak – rzucił stanowczo.

Gorzkie doświadczenie podpowiadało mu, że macki Lumosu sięgają wszędzie. Nie poczuje się bezpieczny, dopóki nie wróci do Ala, Atheny i Bonganiego.

– Cóż, na wszystkich drogach są punkty kontrolne – powiedziała Samora – ale nie ma siatek ani ogrodzeń, żeby zwierzęta mogły się swobodnie poruszać . Jeśli pójdziemy na przełaj, nie powinno być problemów.

– Świetnie. Tak też zrobimy. – Beckowi zdecydowanie to pasowało. Jeśli będą unikać dróg, zmniejszy się prawdopodobieństwo, że Goryl ich dogoni i złapie.

– Ale, Beck, skoro nie chcemy trafić w ręce władz, to ile czasu zajmie nam powrót... wiesz gdzie?

– Jechaliśmy trzy godziny, ale bardzo nami bujało – zastanawiał się na głos. – Nie korzystali z wytyczonych dróg, więc nie mogli jechać szybko. Pięćdziesiąt na godzinę?

– Maksymalnie sześćdziesiąt pięć. Nie daliby rady wyciągnąć więcej z tej starej zardzewiałej furgonetki.

– Zrobiliśmy więc od stu pięćdziesięciu do dwustu kilometrów. OK, powiedzmy, że będziemy szli pięć kilometrów na godzinę przez dziesięć godzin dziennie. Z przerwami...

Samora przełknęła, ale nie marudziła.

– Pięćdziesiąt kilometrów dziennie – podliczyła.

– A więc trzy dni na przejście stu pięćdziesięciu kilometrów. Cztery na dwieście.

Zamilkli oboje, myśląc o czterodniowym marszu przez Park Narodowy Krugera i tym, co mogło ich czekać po drodze.

– No to lepiej się już zbierajmy – skwitował Beck.

Samora nie miała zamiaru się kłócić.

– Którędy? – zapytała tylko.

ROZDZIAŁ 24

Beck spojrzał w niebo. Nie miał jeszcze okazji podziwiać gwiazd. Był to widok, którego nie sposób było uświadczyć w Londynie, gdzie światła uliczne przyćmiewają gwiazdy mdłym odcieniem pomarańczy. Tu od najbliższej ulicy dzieliły ich setki kilometrów, a gwiazdy były wyraźniejsze, niż kiedykolwiek widział – miliony gwiazd, gdzie nie spojrzał, lśniących niczym klejnoty i rozświetlających ziemię na dole.

Beck myślał czasami, że to najpiękniejszy widok na świecie.

Niebo przecinał gruby pas światła. Na pierwszy rzut oka wyglądał trochę jak wydłużona chmura, dopóki nie przyjrzałeś się bliżej i nie uświadomiłeś sobie, że to nie miliony, a miliardy gwiazd. Droga Mleczna, galaktyka, w której skład wchodzi Ziemia, widziana z boku.

W ojczyźnie, i wszędzie na półkuli północnej, Beck szukałby Wielkiego Wozu. Wystarczyło go znaleźć, a znajdowało się też Gwiazdę Polarną, która nie porusza się na niebie i zawsze wskazuje północ. Kiedy już wiesz, gdzie jest, możesz wyznaczyć dowolny kierunek.

Jednak na półkuli południowej jest niewidoczna, bo zasłania ją Ziemia. Beck przebiegł więc wzrokiem Drogę Mleczną, aż zlokalizował Worek Węgla, ciemną plamę przypominającą dziurę w polu gwiazd. W rzeczywistości nie jest to dziura – Al powiedział mu, że to rozległa mgławica pyłu kosmicznego, oddalona sześćset lat świetlnych od Ziemi, przesłaniająca światło gwiazd leżących za nią.

To o wiele fajniejsze niż jakaś tam dziura – pomyślał.

Kiedy zlokalizował już Worek Węgla, mógł znaleźć Krzyż Południa. Był to pobliski gwiazdozbiór złożony z czterech gwiazd. Beckowi zawsze przywodził na myśl mały sztylet z krótką rękojeścią i długim, skierowanym w dół ostrzem. Gwiazdy na czubku ostrza i prawym końcu rękojeści były jednymi z najjaśniejszych na niebie.

Krzyż Południa był przechylony o kilka stopni. Beck zmrużył oczy i wyciągnął pionowo rękę. W wyobraźni poprowadził po niebie linię, przedłużając pięć razy rękojeść w dół w stronę horyzontu. Zapamiętał punkt na ziemi, leżący tuż pod nią. To było południe.

Odwrócił się o dziewięćdziesiąt stopni w prawo.

– Idziemy na zachód – oznajmił. – Zostało nam jeszcze kilka godzin po ciemku. Przejdziemy tyle, ile się da, dopóki nie mogą nas zauważyć... – Urwał.

– Co? – zapytała Samora.

Beck przygryzł wargę.

– Wiem całkiem nieźle, jak przetrwać na...

– Wiem, że wiesz.

– Znaczy, wiem całkiem nieźle, jak przetrwać na większości terenów... ale tutaj nigdy wcześniej nie byłem i nie wiem wielu rzeczy o tym rejonie. Na

przykład o zwyczajach polowań u co agresywniej-
szych drapieżników. A w takich sprawach pomylić
się można tylko raz.

Samora zachichotała.

– Ty postaraj się, żebyśmy przeżyli, a ja zajmę
się tutejszą fauną. Znam jej zwyczaje. Umowa stoi?

– Stoi – odparł z wdzięcznością. Pomyślał, że
to niecodzienna zamiana ról, ale cieszył się, że tak
wyszło.

Zagłębili się w noc.

ROZDZIAŁ 25

Po drodze Beck opowiedział Samorze wszystko, co wiedział o Lumosie.

– Ale nie wiem, jak mnie znaleźli – zakończył.

Zrobili kilka kroków w milczeniu, podczas gdy Samora próbowała przetrawić te rewelacje.

– Lokalizator radiowy – rzuciła w końcu.

– Co?

– Tak śledzimy stada albo pojedyncze zwierzęta, a nawet ptaki. Na przykład tę słonicę, pamiętasz? Przyczepiamy im malutki lokalizator. Mając odpowiedni sprzęt, możemy je znaleźć nawet po drugiej stronie globu. Ludzi da się namierzyć tak samo.

Beck zmarszczył brwi w zamyśleniu.

– Ale kiedy mogli mi go podłożyć?

– Nie wiem. Kiedy ostatnio byłeś z kimś, oprócz Ala, Atheny albo mojego ojca?

– No... w stróżówce, chyba. I... w śmigłowcu? Pilot? Nie, nie zbliżaliśmy się do siebie... Poza tym gość, o którym ci mówiłem, znalazł nas wcześniej, w slumsach... A pojechaliśmy tam prosto z lotniska.

A tam nikt nie mógł podłożyć mu lokalizatora, prawda? Beck chciał już zupełnie odrzucić tę myśl... gdy nagle sobie przypomniał.

Pchał wózek przez tłum i raptem wyjątkowo mocno się z kimś zderzył, tylko ten jeden raz. Miał wtedy wrażenie, że znalazł się we flipperze.

– OK... Poczekaj.

Zatrzymał się i spojrzał na siebie. Słońce wciąż było schowane za horyzontem, ale świt zbliżał się wielkimi krokami. Choć cały świat był szary, nie wyłączając jego ciała, widział zarys swojej sylwetki.

Zaczął się obmacywać. Na pewno zauważyłby, gdyby coś mu przylepiono... albo zauważyłby to ktoś inny. Kieszenie też odpadały – odkryłby coś, gdy wkładał do nich ręce. Nie mogło znajdować się za jego pasem – przecież by zauważył, gdyby ktoś zaczął mu tam grzebać. Ale...

Była jedna kieszeń, której nie używał. Górna kieszeń koszuli. Wsunął do niej palce, a te wyczuły mały przedmiot wykonany z plastiku. Wyglądał jak zwykła karta SIM, nic więcej. Nie miał migoczących światełek ani nie pikał. Była to jednak wyraźnie jakaś elektronika, a Beck widział to pierwszy raz w życiu. Uniósł ustrojstwo w górę.

– To to? – szepnął.

– Na to wygląda. – Głos Samory był równie ściszony, choć zdawała sobie sprawę, że urządzenie najprawdopodobniej nie przesyła dźwięku. – Muszą być małe. Tak jak mówiłam, przyczepiamy je ptakom.

Beck upuścił ustrojstwo i uniósł stopę.

– Gdyby ktoś jednak słuchał, to właśnie was znaleźliśmy – powiedział głośno.

I opuścił stopę. Usłyszał przyjemne chrupnięcie.

Odkrył ze zdziwieniem, że ciężko oddycha. To naprawdę go zabolało – świadomość, że przez cały ten czas nosił przy sobie kawałek Lumosu, sprawiała, że czuł się zbrukany.

– Fuj. – Samora gapiła się na niego.

– No co? – Zaczął znowu się obmacywać, przekonany, że zauważyła drugi lokalizator.

– To znaczy, że masz na sobie tę samą koszulę, którą nosiłeś przez dwanaście godzin lotu i cały wczorajszy dzień.

Beck przestał się obmacywać.

– No cóż... – Powstrzymał chęć powąchania się pod pachami. – Rano nie miałem czasu jej zmienić.

– Wszyscy chłopcy są tacy sami! – zażartowała.

Ruszyli przed siebie.

– Ale zmieniłem majtki – odciął się.

– Tyle dobrego!

Na odchodne Beck wdeptał lokalizator jeszcze głębiej w ziemię.

ROZDZIAŁ 26

Szli zwróceni plecami do słońca, nie widzieli więc, jak wschodzi. Widzieli jedynie pomarańczowe światło, które rozlewało się po krajobrazie, rozpraszając powoli nocne cienie.

To powinien być piękny widok... ale dla Becka oznaczał złe wieści. Oznaczał, że zrobi się cieplej, a im coraz bardziej będzie dokuczać pragnienie.

Od kłusowników nie dostali niczego do picia, więc jeszcze zanim ruszyli w drogę, mieli sucho w ustach. Ekscytacja związana z ucieczką przed strzelaniną dała im chwilowy zastrzyk energii. Ale gdy Beck opowiadał Samorze o Lumosie, był świadomy, że ich usta wysychają z każdą minutą.

Ona najwyraźniej też to czuła, bo zadawała coraz mniej pytań. A gdy mówiła, słyszał to w jej głosie. Jej odwodniony język przywierał do podniebienia.

Samora pierwsza powiedziała głośno to, co im chodziło po głowie:

– Nie obraziłabym się za szklankę wody. – Próbowała nadać temu pozory dowcipnej uwagi, rzuconej jakby mimochodem.

– No.

Oboje nie obraziliby się też za coś do jedzenia, bo nie mieli nic w ustach od wczorajszego lunchu. Bez jedzenia mogli jednak przetrwać o wiele dłużej, zanim umrą z głodu. Nie to stanowiło problem. Była nim za to woda i to nie tylko w kwestii pragnienia. Choć pragnienie nie jest przyjemne, ludzie potrafią je znieść. Brak wody to nie tylko pragnienie, ale i odwodnienie.

Trzy tygodnie bez jedzenia, trzy dni bez wody! – była to zasada, którą pewien instruktor wbijał mu do głowy jak mantrę. – Tak długo człowiek może przeżyć bez dwóch z trzech najważniejszych rzeczy.

(Beck zapytał z miejsca, co jest tą trzecią, a tamten uśmiechnął się szeroko. – Trzy minuty bez powietrza. Więc nie daj się uwięzić pod wodą, Beck!)

A zatem – trzy dni bez wody. Najwyżej. I to przy założeniu, że człowiek nie będzie się wysilał ani marnował zbyt wiele energii – a już na pewno nie będzie szedł przez *veld* w skwarze południowoafrykańskiego dnia.

Przynajmniej byli ubrani, jak trzeba. Wciąż mieli na sobie praktyczne stroje safari. Ale bez wody to właśnie w tych ubraniach przyjdzie im zginąć. W miarę odwadniania się ich organy zaczną wysiadać, jeden po drugim, aż w końcu nogi nie dadzą rady dalej ich nieść.

Potem zacznie ich skręcać w brzuchu tak, że ledwo będą w stanie ustać. Następnie stracą zmysły – mózg przestanie działać, a zaczną się majaki i halucynacje, odbierające zdolność jasnego myślenia.

Później po prostu położą się, by umrzeć w bólu i otępieniu. A może śmierć nadejdzie szybciej – może pożre ich na obiad przechodząca lwica. Tak przynajmniej byłoby szybciej.

Na tę ostatnią myśl Beck ugryzł się w język, jakby chciał sobą wstrząsnąć i pobudzić się do działania. Jedyną rzeczą, jakiej potrzebuje surviva-lowiec, jest optymizm. Musisz sobie powiedzieć, że przetrwasz każdy kryzys, cokolwiek się stanie. Optymizm to nie rozmyślanie o najlepszych sposo-bach śmierci. Gdyby poddał się takim refleksjom, walka byłaby już częściowo przegrana.

I dlatego rozejrzał się po ziemi. Było już na tyle jasno, że wyraźnie wszystko widział. Poszurał w ziemi krawędzią buta, a potem schylił się i pod-niósł zakurzony kamyk.

– Oddychaj przez nos – powiedział Samorze, wycierając go w spodnie. – Tracisz wilgoć w od-dechu. Tak traci się mniej. – Podał jej wytarty kamyk. – I włóż to sobie pod język.

Wzięła go, a potem spojrzała na niego ze zdzi-wieniem. Beck szukał już kamyka dla siebie. Oczyś-cił go i był gotowy, żeby wsadzić go sobie do ust.

– To wzmaga wydzielanie śliny – wyjaśnił rzeczowo. – Zwilża buzię.

Gdy Samora przesuwała kamyk pod język, jej usta się poruszyły. Potem obie jej brwi powędrowały w górę i skinęła głową. Działało.

– Ale to nie daje ci więcej wody, co? – powiedziała, wyjmując kamyk na chwilę. – Po prostu wykorzystujesz ponownie tę, którą już masz w sobie.

– To prawda – przyznał Beck – ale to zawsze coś. Chodź. Wsadź kamyk z powrotem i idziemy.

ROZDZIAŁ 27

Potrzebna nam woda.

Te słowa cały czas tłukły się po głowie Becka. I za każdym razem zamieniał je w coś w rodzaju modlitwy. Wiedział, że brak wody to nie przelewki.

To od ojca nauczył się modlić. Co noc, kiedy kładł spać małego Becka, klękał przy łóżku i prosił Boga o opiekę nad synem. Od tamtej pory chłopiec sam często się modlił – i nie tylko w opałach. A niesamowite w tym było to, że niejeden raz modlitwy okazały się skuteczne. No, bo w końcu wciąż żył, prawda?

Proszę – dodał w myślach.

Maszerowali dalej na zachód. Teraz przynajmniej widzieli, dokąd idą. Łatwiej było też ustalić kierunek. Zasada jest prosta. Słońce wstało na wschodzie, a ponieważ to półkula południowa, z upływem dnia będzie zataczać łuk na północ od nich, by w końcu zajść na zachodzie.

Pełny obrót Ziemi o trzysta sześćdziesiąt stopni zajmuje dwadzieścia cztery godziny. A to oznacza, że co godzinę słońce przemieszcza się o piętnaście stopni. Kłusownicy zabrali im zegarki, rzecz jasna, więc żadne z nich nie miało jak sprawdzić, kiedy ta godzina minęła. Musieli to oszacować na podstawie przebytej drogi.

Beck zakładał, że będą szli ze średnią prędkością pięciu kilometrów na godzinę. Wyszuka jakiś punkt orientacyjny na horyzoncie i oceni odległość. Skierują się do niego, a potem wyznaczą kolejny, i tak dalej, aż pokonają mniej więcej pięć kilometrów. Słońce przesunie się w tym czasie o piętnaście stopni od ostatniej zaobserwowanej pozycji. Tym sposobem mogli za każdym razem wyznaczyć zachód i mieć pewność, że zmierzają we właściwym kierunku.

Tymczasem Beck myślał, jak zdobyć wodę. Do głowy przychodziło mu wiele pomysłów. Gdyby doszli do wyschniętego koryta rzeki, a choćby i strumienia, wiedział, gdzie należy kopać, by znaleźć wodę ukrytą pod powierzchnią. Było też kilka rodzajów owoców, które mogli zjeść – o ile w pobliżu rosły odpowiednie gatunki drzew.

Rozejrzał się po horyzoncie. Był to obszar sawanny – na tych trawiastych wyżynach rosły drzewa, ale nie na tyle gęsto, by skupić się w las czy dać im cień podczas marszu. Jedynym drzewem, które rozpoznał, była głożyna, zwana przez tubylców „bawolim kolcem" – ciemnobrązowa i na piętnaście metrów wysoka. Jej twarde cierniste gałęzie wykorzystywano do grodzenia bydła – ale nie wydawały owoców.

Spoglądając na horyzont, nie patrzył pod nogi... dopóki niemal nie wdepnął w to, co się pod nimi znalazło.

– Ej, spójrz! – zakrzyknęła Samora.

Beck o mało nie potknął się o stos brązowych kul łajna, z których każda miała wielkość dziecięcej głowy. Ziemia wokół nich była zdarta, a ślady biegły szeroką linią ukośnie przecinającą ich drogę.

Beck z miejsca rozpoznał trop słoni. Ich szerokie, płaskie stopy nie zagłębiały się w ziemię – zostały tak stworzone, by równo rozkładać olbrzymi ciężar zwierzęcia. Odciski były więc płytkimi płaskimi wgłębieniami wielkości krzywych talerzy obiadowych.

Beck poczuł nowy przypływ nadziei. Uniósł brew na horyzont, a potem spojrzał w niebo. *Nie całkiem o to mi chodziło, ale dzięki!*

Przykucnął przy jednej z kuli i dotknął ją palcem.

– Beck! – zaprotestowała Samora. – Wiesz, co to jest?

– Tak. To picie, którego szukaliśmy.

– Ale to... łajno słonia!

– W rzeczy samej. Kiedy byłem w Kenii, Masajowie pokazali mi, jak uzyskać z niego wodę w razie nagłej potrzeby. – Podniósł jedną z kulek. – Słonie jedzą dużo roślin i piją sporo wody, a do tego bardzo szybko trawią. No bo zobacz. – Trącił palcem kulę łajna, lepką breję z przeżutej trawy i gałęzi pozlepianych sokami żołądkowymi słonia.

– Wiem. To dlatego tak często dostają kolki. Ale i tak...

– Co oznacza – dokończył Beck – że woda zostaje w... – Pomachał kulą dla ilustracji.

– Łajnie – dziewczyna dokończyła z odrazą.

– No właśnie. A jeśli znajdzie się takie, które dopiero co wyszło słoniowi z tyłu, może być prawie sterylne. Czyli można wycisnąć z niego płyn i go wypić.

A potem, wiedząc, że demonstracja jest o wiele bardziej przekonująca niż słowa, odchylił głowę, uniósł kulę do ust i ścisnął.

– Beck, nie! – niemal wrzasnęła Samora, ale było za późno. Cienka strużka żółtej wody pociekła z łajna do rozdziawionych ust Becka. Skrzywił się, ale ściskał kulę, dopóki nie zaczęła rozpadać się na kawałki, które spadły mu na twarz.

– Mmm. – Cmoknął i wykrzywił usta. Może i woda była sterylna, ale wcześniej przeszła przez całego słonia i nabrała po drodze wiadomy posmak. – Hmmm... zapomniałem: lepiej jest zatkać nos.

Samora wyglądała tak, jakby miała za chwilę zemdleć.

– Poważnie... – Beck podniósł kolejną kulę i wyciągnął do niej. Koniec żartów, czas się nawodnić. – Jeśli nie uzupełnimy płynów, zginiemy. A to są płyny.

Widział w jej oczach, że mu wierzy, ale i tak się wahała. Wiedział z doświadczenia, że zanim wyciśnie się świeże odchody słonia do ust, trzeba pokonać wiele różnych barier mentalnych, więc jej nie poganiał. Czekał po prostu, aż rozważy wszystkie opcje i dojdzie do nieuniknionego wniosku. Jeśli nie chce umrzeć, nie ma wyboru.

Samora odchyliła głowę, uniosła kulę łajna i ścisnęła. Wolną ręką zatkała nos. I wypiła wypływającą ciecz.

Przyjrzeli się wspólnie łajnu, które zostało na ziemi. Spojrzeli po sobie.

– Byłaby szkoda je zmarnować – powiedziała.

Beck potaknął, uśmiechając się.

– Zuch dziewczyna! A wodę najlepiej jest nosić w sobie – zapewnił ją.

Zebrali więc resztę odchodów, wyciskając z niej obrzydliwy, życiodajny płyn aż do ostatniej kropli.

– Mogło być gorzej – stwierdziła, gdy przełknęła ostatni łyk. Odrzuciła łajno i otarła usta rękawem. – Lepsze to niż robaki.

– Tak, one też są dość obrzydliwe – przyznał Beck ze śmiechem. – Ale bez obaw, nie będziemy jedli robaków.

Spojrzał na krajobraz leżący przed nimi. Nie widział najmniejszego śladu ludzkiej obecności.

– No – dodał – przynajmniej na razie.

ROZDZIAŁ 28

Po *veldzie* poniósł się niski pomruk. Nastolatkowie spojrzeli po sobie.

– Lwy? – zapytała z uśmiechem, choć dokładnie wiedziała, co to było.

– Albo mój brzuch – odparł Beck.

Żołądki wysyłały im częsty i jasny sygnał. Fajnie było się napić, ludziska, ale potrzebujemy jedzenia.

Płyn z łajna słonia dodał im sił. Beck miał wrażenie, że jego zmysły się wyostrzyły i rozbudziły, a gdy kontynuowali swój miarowy marsz z powrotem w stronę granicy, w ich kroku była większa sprężystość.

Nie mogli jednak wiecznie ignorować żołądków, zwłaszcza teraz, gdy te przypominały im o sobie tak głośno i często.

Sytuację pogarszało tempo narzucone przez Becka. Pośpiech był czymś nienaturalnym dla nich obojga. Owszem, wcześniej w czasie wędrówek przez nieprzyjazne tereny zdarzało się, że szybkość była wskazana. Jak wtedy na Alasce, kiedy razem z Tikaanim musieli przemierzyć góry, by sprowadzić pilną pomoc medyczną dla poważnie rannego Ala. Ale z drugiej strony, kiedy wędrował przez Saharę z Peterem czy przez wyżynę Kimberley z Brihony, ważniejsze było po prostu dotarcie do celu. Czas nie grał roli. Pośpiech jedynie spalał energię i zużywał wodę.

Tym razem jednak mieli towarzystwo, musieli więc pozostawić w tyle nie tylko Jamesa, ale i kłusowników. Dlatego nie zwalniali tempa. Co tylko wzmagało w nich głód.

Postanowił, że przejdą jeszcze godzinę. Potem naprawdę postara się znaleźć coś do jedzenia. Może tylko pędraki żyjące pod korą drzewa, ale coś znajdzie.

– Ej, no bez jaj – odezwała się nagle Samora. – Nie jesteśmy aż tak bliscy śmierci, co?

Beck spojrzał na nią ze zdziwieniem, ale dziewczyna uśmiechnęła się i skinęła w górę. Zobaczył krążące nad nimi sępy, ale szybko zorientował się, że szybują gdzieś na prawo. Wylądowały w wysokiej trawie i zniknęły z im z oczu. Beck błyskawicznie skręcił w tę stronę.

– Tam jest jakaś padlina.

Samora szybko go dogoniła.

– Może leżeć tam od wielu dni. Może roi się w niej od much.

– Wtedy ją zostawimy. – Zjedzenie starego i zepsutego mięsa byłoby wyrokiem śmierci. – Ale jeśli jest świeża... To my też zmienimy się w padlinożerców.

– Aha. Ale uważaj na hieny. One też lubią padlinę, a do tego są agresywne.

Beck potaknął. Hieny mają rozmiary dużego psa i szczęki tak potężne, że mogą przegryźć się przez kość. Nie warto z nimi zadzierać. Jeśli hieny uznały tę konkretną padlinę za swoją zdobycz, ich dwoje zostawi je w spokoju.

Kiedy jednak dotarli do miejsca, w którym wylądowały sępy, nie zauważyli ani jednej hieny.

Padlinożerne ptaki zleciały się do ciała martwej zebry. Na jej zadzie widzieli głębokie wyżłobienia i ślady po zębach zwierzęcia, które ją zabiło. Nogi były całe, ale gardło zostało rozszarpane, a przez rozerwaną skórę pod żebrami dało się zauważyć kości.

Sępy wtykały długie szyje do ciała i wyrywały kawałki mięsa. Beck wiedział, że pióra wokół ich szyj są krótkie i sztywne, żeby nie zlepiały się od zakrzepłej krwi i soków jelitowych. Rozwleczona po ziemi długa plątanina wnętrzności wyglądała jak błyszczący zakrwawiony wąż, którego ktoś mógłby użyć do napompowania padliny. Pozostałe organy tkwiły w ziejącej dziurze niczym sterta gumowych poduszek.

Beck podbiegł do sępów, wymachując rękami.

– Hej! Hej! Sio!

Sępy pierzchły z oburzeniem w czymś w rodzaju skocznego tańca, pół hycając, pół unosząc się na skrzydłach nad ziemią. Jeśli pojawi się ktoś większy, sępy nigdy nie bronią swojej zdobyczy. Zamiast tego czekają na swoją kolej i wracają później po krwawe strzępy.

Beck zatrzymał się i przez chwilę podziwiał piękno zebry. Cieszył się, że nie widział, jak drapieżniki ścigają ją i rozrywają, jak umiera w bólu i strachu. Ale nie było sensu się rozczulać. Takie jest prawo natury. Zwierzęta nie umierają spokojnie w łóżkach w otoczeniu rodziny i przyjaciół.

Poza tym on i Samora potrzebują jedzenia – albo sami znajdą się w czyimś menu.

– Nadal nie wiemy, jak długo leży tu martwa – stwierdziła rzeczowo Samora.

Beck wiedział, że dziewczyna dorastającą w Parku Narodowym Krugera musi mieć równie praktyczne podejście do pożywienia.

– Racja. – Przykucnął, by uważniej przyjrzeć się martwej zebrze. Ostra ciepła woń krwi i wnętrzności zagłuszała jej typowo zwierzęcy zapach. – Nie czuć zgnilizny. Gdyby mięso było zepsute, sępy by jej nie jadły. – Machnął ręką, by odgonić muchę, która przysiadła mu na twarzy. – A gdyby została zabita więcej niż kilka godzin temu, byłyby tu czerwie... – Zamilkł, a potem dodał z przekonaniem: – Nadaje się do jedzenia.

Zauważył, że Samora przeciągała palcami po śladach zębów na zadzie zebry.

– Co o tym sądzisz? – zapytał.

– Sądząc po tych śladach, powiedziałabym, że została zagryziona przez dzikie psy. Jeśli są jeszcze gdzieś tutaj...

Pozwoliła, żeby Beck dopowiedział sobie resztę, a pamięć podsunęła mu wszystko, co wiedział o afrykańskich dzikich psach – likaonach pstrych. Przypominały bardziej wilki niż psy: miały podobne rozmiary i polowały w watahach. Zazwyczaj też łapały upatrzoną zdobycz.

– Ludzie myślą, że to lwy są drapieżnikami idealnymi – powiedziała mu Samora – ale tylko trzydzieści procent ich polowań kończy się powodzeniem.

– A dzikich psów?

– Osiemdziesiąt.

– Dobra. Więc się pospieszmy.

ROZDZIAŁ 29

Łatwiej było powiedzieć, niż zrobić.

– Nie możemy po prostu wyrywać mięsa palcami. Albo zębami – zauważyła Samora.

Beck przez chwilę widział oczyma wyobraźni, jak biorą przykład z sępów, sami wsadzając głowy w krwawe wnętrzności zebry i przeżuwając wyrwane kęsy.

– Mamy prowizoryczny nóż.

– Mamy?

– Tak jakby.

Beck wyciągnął zza pasa nogę od krzesła i przyjrzał się jej. Można jej było użyć jako pałki, ale nie miała ostrej krawędzi. Mógłby przełamać ją na pół, żeby drewno się rozszczepiło, i to mogło coś dać.

Krawędź nie byłaby jednak tak ostra, jak by tego chciał, a przy okazji połamałby swoją pałkę.

Potem spojrzał w zamyśleniu na zakrwawione żebra zwierzęcia. One nadałyby się w sam raz.

– Potrzebujemy jedynie odrobiny pomyślunku – powiedział. – Znajdziesz mi kamień? Coś ciężkiego, co ledwie możesz unieść? I patrz, czy gdzieś nie ma psów.

Kiedy Samora się tym zajęła, Beck stanął prosto, rozstawiając stopy po bokach. Chwycił nogę krzesła w obie ręce i wbił ją między dwa żebra tuż przy podstawie, tam, gdzie łączyły się z kręgosłupem. Potem pchnął.

Poczuł, że coś się rusza, a potem jedno z żeber odłamało się z głośnym trzaskiem. Nadal było przytwierdzone z drugiej strony do mostka, ale teraz Beck mógł złapać je w obie ręce, wykręcić i oderwać. Po kilku próbach całe żebro zostało mu w rękach. Było smukłe, zakrzywione i miało długość jego ramienia.

– Ten będzie dobry? – zapytała dziewczyna. Znalazła kamień wielkości małej piłki. Wciąż przywierały do niego grudy ziemi, z której go wyrwała.

– Idealny. Poczekaj...

– Och, dzięki! – wydyszała, uginając się pod ciężarem.

Beck wetknął jeden koniec zakrzywionego żebra w ziemię, potem drugi, tworząc niewielki łuk.

– Teraz go wezmę i po prostu...

Trochę się mocowali, ale w końcu udało mu się wziąć od niej kamień. Stanął nad żebrem, wycelował i puścił. Kamień uderzył w kość i się odbił. Żebro przewróciło się, wciąż całe. Oboje wpatrywali się w nie przez chwilę.

– OK, to było na próbę...

– Kości są całkiem mocne, Beck – zauważyła Samora. – W przeciwnym razie zebra łamałyby je przy każdym upadku.

– No to włóżmy w to trochę więcej siły. Przytrzymasz je?

Tym razem dziewczyna chwyciła żebro i przycisnęła oba końce do ziemi. Beck nie zamierzał znów polegać na sile ciążenia. Uniósł kamień i opuścił z całej siły. Żebro roztrzaskało się na trzy kawałki.

– Ha! – Chłopak podniósł ten środkowy. Miał długość około dziesięciu centymetrów, a oba jego końce były ostre i nierówne. – Od razu lepiej!

Dotknął jednej z krawędzi. Kość miała ścięty czubek.

– Spiczasty – oceniła Samora.

– Spiczasty, ale nie ostry. Musimy go zaostrzyć.

Teraz miał przynajmniej co ostrzyć. Położył czubek połamanej kości na kamieniu leżącym na ziemi i pociągnął do siebie. Powtórzył tę czynność kilka razy, a Samora czekała cierpliwie, aż skończy. Powoli na kości zaczęła się tworzyć ostra krawędź. Mniej więcej co minutę przestawał i sprawdzał, przesuwając kciuk w poprzek, żeby się nie zaciąć.

– Poszukałabyś gdzieś w pobliżu krótkiego patyka, takiego wielkości grubego markera? – poprosił towarzyszkę.

– Poszukiwacz patyków i kamieni, cała ja.

W końcu Beck uznał z zadowoleniem, że kość już ostrzejsza nie będzie. Gdyby ostrzył ją dłużej, zaczęłaby kruszeć. Problem w tym, że zostało z niej samo ostrze. Nie mógł jej chwycić bez pokaleczenia sobie palców.

Samora znalazła jednak krótki patyk, mniej więcej grubości dwóch palców. Wręczyła go Beckowi.

– Idealny! Dzięki.

Chłopak nadal miał owiązane wokół pasa sznury, z których zdołali się uwolnić po porwaniu przez kłusowników. Teraz rozwinął jeden z nich i odciął krótki kawałek kościanym ostrzem.

Rozszczepił nim koniec patyka i wetknął kość w nacięcie. Następnie owinął koniec patyka kawałkiem sznura, by przytwierdzić kościane ostrze w ten sposób, aby z drewna wystawała jedynie połowa tnącej krawędzi.

I zrobione. Skoro miał już nóż z ostrzem i rękojeścią, mógł zająć się zebrą.

ROZDZIAŁ 30

Beck wybrał miejsce na zadzie zebry, oddalone od ran zadanych przez jej zabójcę. Było też dobre i mięsiste, bez kości, które mogłyby stanąć mu na przeszkodzie.

Czubek kościanego noża z łatwością przebił skórę, a potem Beck przeciągał go w przód i w tył. Z każdym ruchem skóra coraz bardziej ustępowała pod ostrzem. Przeciął jej płat, a po chwili go odsunął. Odsłonięte mięso było świeże, czerwone i lśniące. Zaczął ostrożnie i metodycznie odrzynać kawałki nie większe od zaciśniętej pięści.

Podał pierwszy Samorze. Wzięła go ostrożnie i uniosła do oczu.

– Zamawiałam średnio wysmażony. Nie będzie napiwku – zażartowała.

– Nie mamy czasu, żeby rozpalić ognisko – odparł przepraszająco. – A nawet gdybyśmy mieli, wolałbym nie ryzykować. Wciąż jesteśmy za blisko.

Samora tylko potaknęła. Miał rację. Kłusownicy mogliby łatwo zauważyć dym z ogniska. Beck uniósł własny kawałek mięsa do ust.

– No to smacznego.

Wgryzł się w nie mocno. Poczuł, jak krew zebry tryska mu do ust. Miała smak żelaza. Mięso było twarde i cierpkie, jakby jadł surową wołowinę, ale o wiele intensywniejszą w smaku. Musiał rozcierać je mocno zębami, żeby przeżuć mięso, ale potem już gładko przechodziło przez gardło.

Oboje zjedli jeszcze po jednym kawałku, a potem Beck odezwał się z buzią pełną krwi i mięsa:

– Dopóki nie znajdziemy wody, nie jedzmy więcej. Zbyt duża ilość białka jeszcze bardziej nas odwodni. Podjedliśmy trochę, więc teraz wykorzystajmy tę energię, żeby ruszyć dalej, i spróbujmy znaleźć więcej wody po drodze. Zabierzemy ze sobą trochę tego mięsa na później.

Wrócił do cięcia i krojenia padliny, żeby mogli napełnić kieszenie na czekający ich marsz. Mówienie o wodzie podsunęło mu jednak jeszcze jeden pomysł. Tylko że będzie się musiał nieźle ubabrać.

Podwinął rękawy, przykucnął i wsadził ręce w krwawą masę organów zebry. Szukanie żołądka po omacku przypominało przekopywanie się przez masę śliskich gumowych balonów. Jego ramiona szybko pokryły śliska krew i soki, a plątanina organów uginała się i bulgotała pod jego rękami.

Kiedy już znalazło się gardło, wystarczyło podążyć za nim aż do żołądka. Wyciągnął go. Wił się między jego palcami jak gumowy worek pełen wody, drżąc i chlupocząc. Uniósł go triumfalnie do góry.

– Podaj mi nóż, Samora.

Żołądek z jednej strony połączony był z gardłem, a z drugiej z jelitami. Beck przeciął oba końce, by go uwolnić. Resztki ostatniego posiłku zebry brysnęły, a potem wyciekły z obu stron. Chłopak ścisnął żołądek, by w miarę możliwości usunąć z niego pozostałą maź.

– A to po co? – Samora miała doświadczenie z wieloma martwymi zwierzętami rozerwanymi na strzępy przez inne stworzenia. Była przyzwyczajona do tego widoku, nie zrobiła się więc zielona. Wydawała się jednak zaciekawiona.

– Zobaczysz, gdy znajdziemy wodę...

Nagle doszedł ich z wiatrem charakterystyczny dźwięk szczekających psów. A więc zabójcy zebry wciąż byli w pobliżu.

Beck i Samora zamarli. Potem chłopiec wsunął szybko nogę krzesła przez oba końce żołądka i zarzucił ją sobie na ramię. Tak najłatwiej było nieść coś śliskiego i miękkiego, a dzięki temu jedna ręka pozostawała wolna. Kościany nóż zatknął za pas.

– Powinniśmy już iść – rzucił ponuro.

ROZDZIAŁ 31

Szli jeszcze przez dwie godziny z mięsem zebry w kieszeniach. Psy się nie pojawiły. Beck miał nadzieję, że jeśli znowu poczują się głodne, wybiorą bezpieczną martwą zebrę zamiast bardzo żywych ludzi.

Wiedział jednak, że potrzebują wody. Każda spływająca kropla potu była kolejną kroplą, którą bezpowrotnie traciły ich ciała i której nie mogli już wykorzystać.

W chwili, gdy doszli na szczyt niewielkiego wzniesienia, zauważyli w oddali zielone brzegi rzeki. Dotarli tam po kolejnej godzinie marszu.

Ziemia opadała łagodnie do wody i podnosiła się po drugiej stronie. Oba brzegi porastały szeregi trzcin, drobnych krzaków i zarośli.

Rzeka była szeroka na trzydzieści metrów i przecinała trawiastą wyżynę. Na drugim brzegu kilka antylop pochylało szyje, żeby się napić. Ziemia po ich stronie była rozdeptana przez niezliczone stopy, kopyta i pazury, choć w pobliżu nie dało się dostrzec ich właścicieli.

– To najpiękniejsze, co w życiu widziałam! – ucieszyła się Samora na widok wody.

– Tak. Czasem łajno słonia po prostu się nie umywa – przyznał Beck.

Samora pobiegła przodem, zanim Beck zdążył ją powstrzymać. Uklękła przy brzegu, zaczerpnęła wodę rękami i uniosła ją do ust.

– Hej! – zawołał, gdy ją dogonił. Pomyślał o niebezpieczeństwach, które mogą się czaić w afrykańskich wodach. – A jeśli są tu krokodyle? Hipopotamy?

Samora wstała, wycierając usta.

– Woda jest zbyt płytka, żeby hipopotamy mogły się w niej schować. Widać też, że nie jest głęboka. Krokodyli nie ma na brzegu, a pod wodą kryłyby się tylko wtedy, gdyby myślały, że zdobędą coś do jedzenia. O wiele bardziej prawdopodobne, że są po tamtej stronie, czając się na te antylopy. – Wskazała na drugi brzeg. – Jeśli nie zaatakują ich w ciągu najbliższych pięciu minut, to ich tu nie ma.

– Brzmi sensownie... – Beck nie mógł polemizować z głosem doświadczenia. – Tylko upewniam się, że przeżyjemy, skoro już znaleźliśmy tę rzekę.

Ale i tak omiótł powoli wzrokiem płynącą wodę, szukając czegokolwiek, co wyglądało jak kłoda, a co mogło okazać się opancerzonym gadem z całą masą zębów i pazurów.

Zdjął z ramienia żołądek zebry i uklęknął, żeby samemu napić się wody. Zimna i orzeźwiająca, wydawała się przywracać siłę w jego zmęczonych mięśniach. Wypłukała mu też z głowy pewną mętność, z której nie zdawał sobie sprawy. Kiedy wstał, poczuł się ożywiony i nawet troszeczkę wyższy.

Jeszcze raz w zamyśleniu przyjrzał się rzece. Musieli się przez nią przeprawić. Widział, jak jest szeroka – ale nie znał jej głębokości. Nie miał też pojęcia, jak bystry jest prąd...

Odłamał z krzaka gałąź i podszedł do niewielkiego pagórka – najwyższego punktu nad brzegiem, jaki zobaczył. Potem rzucił gałąź na wodę. Z podwyższenia widział, jak zaczyna wirować, gdy pochwycił ją prąd i poniósł w dół rzeki z prędkością szybkiego marszu. Gdyby podążył za nią piechotą, może nie musiałby biec, ale co najmniej iść dość raźnym krokiem.

– Damy radę się przeprawić – oceniła Samora. Wydawała się teraz mniej pewna siebie; może widziała oczami wyobraźni, jak rzeka ich zmywa.

– Damy, ale jeśli zrobi się za głęboko albo omsknie się nam noga, rzeka może nas porwać. – Beck podjął decyzję: – Powinniśmy spróbować trójnogiem.

– Trójnogiem? Mamy go zbudować czy jak?

– Nie – odparł Beck z szerokim uśmiechem. – My będziemy trójnogiem. Chodź. Potrzebujemy dwóch solidnych gałęzi. Muszą być tej samej długości, co my, i muszą być w stanie utrzymać nasz ciężar, kiedy się na nich oprzemy.

Poszukali ich w porastających brzeg zaroślach. Trochę to trwało, ale w końcu znaleźli gałęzie, które spełniły ich wymagania. Chcąc dodatkowo je sprawdzić, Beck oparł się mocno o każdą z nich, chwytając w obie ręce i kładąc się na nią całym ciężarem. Żadna się nie złamała.

Beck zrzucił buty i sięgnął do paska. Zawahał się nagle.

– Hmmm... Musimy, hmmm...

-... zdjąć spodnie? – zapytała rzeczowo Samora. Skinął głową.

– Coś w tym rodzaju.

Dziewczyna odwróciła się plecami, zdjęła buty i zaczęła ściągać spodnie.

– A, tak w sumie, dlaczego? – zapytała, rozbierając się.

– Tylko zwiększają opór w wodzie. A wierz mi: gdy dotrzesz na drugi brzeg, ucieszysz się, że masz suche ubranie. Zdejmij też skarpetki, ale załóż z powrotem buty. Nie wiadomo, co jest na dnie.

Ostre przedmioty mogły pokaleczyć ich bose stopy, kamienie i żwir mogły być po prostu śliskie, a chodzenie po nich – bolesne.

Wepchnęli skarpetki do kieszeni, a każde z nich owiązało spodnie wokół szyi. Jednocześnie Beck wyjaśnił dziewczynie, jak przeprawią się na drugą stronę. Przerzucił za plecy żołądek zebry przewleczony przez nogę krzesła, mocując go pod zawiązanymi na szyi spodniami. Potem podniósł swoją gałąź.

– Gotowa? – zapytał.

Samora spojrzała na niego i wybuchnęła śmiechem. Beck pomyślał, że pewnie faktycznie wygląda śmiesznie: w butach, bez skarpetek, z nagimi, chudymi nogami i w samych bokserkach.

– Gotowa – odparła, wciąż chichocząc.

Razem powoli weszli do wody.

ROZDZIAŁ 32

– Fuj, wlewa mi się do butów!

– No, wiadomo...

– Wiem, wiem. Po prostu to takie... brejowate.

To dość straszne uczucie, gdy wody wcieka ci do suchego buta. Dlatego Beck celowo zrobił krok i pozwolił, by jego buty od razu się napełniły. W kontakcie ze skórą woda sprawiała wrażenie śliskiej i zimnej. W miarę przeprawy przez rzekę czuł, jak podnosi się coraz wyżej wokół jego nóg.

Poruszali się bokiem, zwróceni twarzami w górę rzeki. Beck brodził trochę z tyłu za Samorą. Dzięki temu zawsze widzieli wszystko, co niesie w ich stronę prąd, a gdyby Samora się przewróciła, chłopiec mógł błyskawicznie ją złapać.

Jak powiedział Beck, stanowili ludzkie trójnogi. Każde miało dwie nogi oraz gałąź, a tym samym trzy mocne punkty styczności z dnem rzeki. Na raz będą przenosić tylko jeden z nich. Najpierw przesuną ostrożnie jedną stopę, aż znajdą stabilne oparcie. Potem drugą, a na końcu gałąź. I tak dalej.

– Uważaj, żeby nie krzyżować stóp, tylko je przesuwać, żebyś się nie potknęła – poinstruował spokojnie Beck, skupiając się na obecnym zadaniu.

Pamiętał tę wskazówkę z dzieciństwa, gdy ojciec urządził mu demonstrację w płytkim strumieniu, celowo wywijając orła dla podkreślenia wagi swoich słów. Beck uśmiechnął się na to wspomnienie.

Jednak ta przeprawa właśnie stawała się trudniejsza. Przy brzegu rzeka płynęła leniwie, więc mogli ją zwyczajnie przejść w bród. Ale kiedy zbliżyli się do środka, prąd przyspieszył. Zaczął nimi szarpać. Kiedy woda podniosła im się do kolan, wokół nich powstała wyraźna fala uderzeniowa.

Beck miał niemal wrażenie, że rzeka się z nimi bawi. Jakby obserwowała ich w milczeniu, czekając na najmniejszy błąd, żeby ich pochłonąć. Dno pokryte było miękkim mułem – nie wyczuwał żadnych kamieni ani żwiru, które dałyby oparcie. Stopy mogły bardzo łatwo się pośliznąć, a jedno z nich przewrócić, pociągając drugie ze sobą.

Rzeka zrobiła się głębsza – głębsza, niż Beck się tego spodziewał. Wiedział, że jeśli sięgnie im dużo powyżej pasa, nie zdołają uniknąć porwania przez prąd. Musieliby wtedy zdać się na łaskę żywiołu.

Woda podnosiła się powoli, mocząc mu bokserki, a potem brzeg koszuli. Napierała teraz na każdą część jego ciała poniżej pasa. Żeby zrównoważyć tę siłę, przesunął stopy nieco do tyłu, a gałąź popchnął do przodu. Szersze rozstawienie punktów trójnoga dawało mu większą stabilność.

– Jak ci idzie? – zawołał. Samora była trochę niższa od niego, więc woda sięgała jej wyżej.

– Hmm... jakoś.

Nie naciskał. Musiała skoncentrować się na utrzymaniu równowagi, a nie na gadaniu.

Niebawem chłodny strumień sięgnął mu pasa. Tworzona przez jego ciało fala uderzeniowa złowieszczo bulgotała mu w uszach. Napór przypominał olbrzymią otwartą dłoń, spychającą całe jego ciało coraz mocniej do tyłu.

Po chwili jednak woda w końcu znowu zaczęła się obniżać. Na początku nie był tego pewien, ale po kolejnej minucie nie miał już wątpliwości – opadła tuż poniżej jego pasa. Minęli połowę drogi i szli teraz pod górę.

Samora zakrzyknęła radośnie, gdy doszła do tego samego wniosku.

– Jeszcze trochę – zawołał Beck. – Skup się...

Nagle coś owinęło się wokół jego nóg i utknął w miejscu. Stopa, którą przesuwał w bok, nie mogła ruszyć się dalej. Reszta ciała już przenosiła środek ciężkości, wychodząc z założenia, że stopa znajdzie się tam, gdzie powinna, by przyjąć jego ciężar. Zatoczył się w bok, rzeka uderzyła w niego z impetem. Próbował poruszyć nogami, ale to coś pod wodą wiło się między nimi i paraliżowało jego ruchy.

Krzyknął, gdy zorientował się, że spycha go do tyłu. Pomachał rękami, żeby utrzymać równowagę, co oznaczało, iż musi wyciągnąć gałąź z dna rzeki – a to z kolei sprawiało, że jeszcze bardziej tracił na stabilności.

Miał się już zupełnie przewrócić, ale w ostatniej chwili zdołał podeprzeć się gałęzią. Woda wokół jego pleców podniosła się, ale stanął mniej więcej prosto. To coś, co miał pod nogami, próbowało się wyplątać. Beck starał się machać nogami, ale zrozumiał, że to tylko pogarsza sprawę. Zmusił się, żeby stanąć bez ruchu, i wpatrzył się w wodę. Jego kostki owinięte były czymś długim i cienkim.

Na bank miał do czynienia z jakąś rybą, a nie wstęgą wodorostu. Z łomoczącym sercem modlił się, żeby to nie był wąż wodny, bo rozjuszony, w mig go zaatakuje. Teraz, gdy stał spokojnie, to coś zdołało uwolnić się kilkoma zwinnymi ruchami i odpłynęło między kamyki.

– Węgorz cętkowany – zaśmiała się Samora. – Zapewne w pełni dojrzały, a mogą osiągać prawie dwa metry. I wprost uwielbiają pożerać chłopców. Zwalają ich z nóg do wody. – Jej oczy rozszerzyły się, gdy próbowała zdusić uśmiech. – A wtedy słuch po nich ginie!

– Ach tak?

– Tak... No, właściwie to nie...

– Czyli są zupełnie niegroźne?

– No tak. Dla ludzi.

– Szkoda – mruknął Beck. – Mogliśmy go zjeść.

Krok za krokiem kontynuowali przeprawę na drugi brzeg.

ROZDZIAŁ 33

Samora padła na trawę.

– To było trudniejsze, niż się spodziewałam – przyznała. – Nawet uwzględniając węgorze.

Beck uśmiechnął się, ale sam wolał stać. Przeszedł się tam i z powrotem, by słońce i wiatr osuszyły przemokniętą dolną połowę ciała. W pewnej odległości od nich zebrały się antylopy – para dorosłych oraz kilka młodych. Jedno z dorosłych wyraźnie go obserwowało, podczas gdy pozostałe piły, ale żadne nie wydawało się przestraszone.

– Te psy miałyby jeszcze trudniej – stwierdził. – Więc chyba jesteśmy bezpieczni. – Przyjrzał się uważnie antylopom. – A przynajmniej tamto towarzystwo nie wygląda, jakby się czegoś bało.

– Dla nich woda jest na tyle ważna, że pozwalają drapieżnikom podejść dość blisko, zanim uciekną. Choć gdyby poczuły się zagrożone przez ciebie, to by cię zaatakowały. Te rogi są ostre.

Chłopiec zrobił kilka ostrożnych kroków do tyłu.

– Poza tym, Beck, po tej stronie są inne psy, a ty przyciągniesz je tu tym cuchnącym kawałkiem padliny, który nosisz przy sobie.

– Ha! A nie mówiłem ci, że przyda się na następny raz, gdy znajdziemy wodę?

Samora przyglądała się, jak Beck odwiązuje żołądek zebry zza pleców i wraca nad rzekę. Wsadził go do wody, a ta wlała się przez oba otwory z wyraźnym bulgotem. Potem wyciągnął go, wylewając z powrotem wodę zmieszaną z pozostałościami po treści żołądka. Powtarzał tę czynność, aż wypływająca ciecz stała się zupełnie czysta.

Na koniec wykorzystał jeden ze sznurów kłusowników i zawiązał dwa mocne półsztyki wokół jednego z otworów, dobrze go uszczelniając. Potem od nowa napełnił żołądek. Węzły wytrzymały i woda nie wylała się z tego końca.

– A więc to taki bukłak! – domyśliła się Samora.

– Improwizowany, ale zawsze. W żołądkach dobre jest to, że są równie wodoszczelne jak każdy bukłak. Można też zrobić z tego poduszkę! Potrzymasz?

Dziewczyna trzymała żołądek pionowo, a Beck zabezpieczył drugi otwór. Potem przywiązał dłuższy kawałek sznura do obu końców i przewiesił bukłak przez ramię.

– A co z kłusownikami? – zapytała go, gdy się tym zajmował. – I twoim kolegą z Lumosu? Ich nie da się tak łatwo zniechęcić jak watahę dzikich psów.

– Rozbiłem lokalizator, pamiętasz? Mam nadzieję, że dzięki temu więcej go już nie zobaczymy. A kłusownicy? Hmmm...

Beck zmrużył oczy, patrząc w stronę, z której przyszli. Nie dostrzegł żadnych obłoków kurzu ani niczego, co mogłoby wskazywać, że ściga ich jakieś auto, ale to jeszcze nic nie znaczyło. Tamci prawdopodobnie znali te ziemie lepiej niż oni. Wiedzieli, gdzie znaleźć łatwiejszy bród. A Beck i Samora przeprawili się przez rzekę tylko dlatego, że musieli iść dalej. Nie mieli czasu, by szukać płytszego miejsca w górze ani w dole rzeki.

Ale czy kłusownicy (zakładając, że wyszli zwycięsko z tej strzelaniny) w ogóle zamierzali ich ścigać?

– Nie wiedzą, że zapamiętaliśmy położenie ich obozu. Ani że wiemy, jak przetrwać w tym miejscu – powiedział. – Miejmy nadzieję, że wezmą nas za dzieciaki, które łatwo się zgubią i zginą w dziczy.

Samora zrobiła palcami znak cudzysłowu w powietrzu.

– „Miejmy nadzieję".

– Tak. No cóż...

Czasem nadzieja to wszystko, co ci zostaje. Beck miał już wiele okazji, by pojąć tę lekcję. Jeśli jednak istniała jakaś alternatywa, to lepiej było ją wybrać. Jeśli kłusownicy ich złapią, nie będą mieli skrupułów przed przerobieniem dwojga dzieciaków na karmę dla sępów. A to oznacza, że nie mogą się zatrzymywać.

Poklepał wypełniony wodą żołądek zebry. Bukłak wybrzuszył się i lekko bulgotał w środku.

– Będziemy pić łyk co godzinę i napełnimy go przy następnej okazji. Teraz... – Beck machnął ręką na rzekę. – Napij się do woli, a potem przełkniemy parę kęsów zebry i w drogę.

Zamilkł, widząc, że dziewczyna patrzy na niego z lekkim uśmiechem.

– Hej, uszy do góry, Samora... Ta przygoda dopiero się zaczyna!

ROZDZIAŁ 34

W zakładaniu suchych ciuchów jest coś, co zawsze podnosi człowieka na duchu. Ich buty wciąż były mokre, ale po drodze powinny wyschnąć. Będą zdejmować je za każdym razem, gdy zatrzymają się na odpoczynek, by dać stopom odetchnąć. W przeciwnym razie grozi im zakażenie grzybicze, które prędzej czy później by ich unieruchomiło – choć Beck miał zamiar wrócić do cywilizacji o wiele wcześniej.

Szli całe popołudnie, robiąc sporadyczne przerwy na odpoczynek i łyk wody. Mniej więcej po każdych pięciu kilometrach Beck sprawdzał kierunek według słońca. Nie było to łatwe, bo nie zawsze szli w linii prostej. Czasem to w drogę wchodziła im geografia – spadek zbyt gwałtowny, by po nim zejść, albo zbocze zbyt strome, by pod nie się wdrapać – musieli więc obchodzić przeszkody. Swoje zrobiły też wiedza i doświadczenie Samory, zmuszając ich do ominięcia szerokim łukiem stada widzianych w oddali hien.

– Choć świetnie widzą we dnie i w nocy, z węchem nie jest u nich najlepiej. Ale nawet one poczułyby zapach tych ochłapów zebry, gdyby znalazły się wystarczająco blisko. Nie dawajmy im więc powodu, żeby się nami zainteresowały – powiedziała mu.

Ominięcie hien, by dogodzić Samorze, dołożyło im z kilometr wędrówki, ale Beck uznał, że to rozsądna cena za uniknięcie zjedzenia żywcem.

Hieny nie były jedynymi stworzeniami, jakie widzieli, ani jedynymi, od których trzymali się z daleka. Samora unikała miejsc, gdzie mogły przyczaić się lwy. O tej porze pewnie odpoczywały, niemal niewidoczne w trawie... Ale gdyby dwoje ludzi wpakowało się nieopatrznie w sam środek ich stada, w mig uświadomiłyby sobie, że wciąż są głodne!

Niebezpieczni mogli być nawet roślinożercy. Bawoły wyglądały na powolne i spokojne, ale w razie zagrożenia potrafiły rozpruć intruza rogami, a do tego biegały szybciej od człowieka. Szerokim łukiem ominęli też słonie, nie chcąc dawać tym potężnym stworzeniom pretekstu do tego, by poczuły się zagrożone i na nich zaszarżowały.

Beck wiedział, że w tym miejscu można pomylić się tylko raz. A jak mawiał jego ojciec: beztroska zabija. Trzeba zawsze być czujnym.

I tak włóczyli się krętymi ścieżkami po Parku Narodowym Krugera. Słońce podążało za nimi, a potem stopniowo zaczęło ich wyprzedzać, zmierzając ku zachodniemu horyzontowi. Na niebie powoli pojawiały się odcienie czerwieni i pomarańczy. Beck przewidywał, że zostało im około godziny przed nocą, która w Afryce Południowej zapada wyjątkowo szybko.

– Niedługo powinniśmy się zatrzymać.

Samorze tak bardzo ulżyło, że aż zeszło z niej powietrze.

– Koniec chodzenia? Hura! I możemy rozpalić ognisko! Możemy upiec to mięso zebry!

– No nie wiem. – Beck spojrzał z powątpiewaniem w stronę, z której przyszli. – Dym będzie widać z wielu kilometrów.

Jej twarz wykrzywiła się w nieszczęśliwym grymasie.

– Och... Proszę.

– No... dobra, może da się coś zrobić.

Pół kilometra dalej ziemia wznosiła się łagodnie ku gęstwinie drzew wielkości piłkarskiego boiska. Pokazał ją Samorze.

– Możemy tam spotkać jakieś niebezpieczne zwierzęta? Lwy? Lamparty?

Przyjrzała się jej w zamyśleniu.

– Raczej nie. One wolą otwarte przestrzenie. Ale, oczywiście, nie będziemy mieli pewności, póki nie sprawdzimy.

Beck przygryzł wargę i zdecydował:

– W takim razie to tam spędzimy noc. A ja zobaczę, co z tym ogniem.

Weszli między drzewa. I już po chwili Beck znalazł dokładnie to, czego potrzebował.

ROZDZIAŁ 35

– No, a tak w ogóle, co jest takiego wyjątkowego w tym miejscu? – zapytała Samora.

Stała z Beckiem wśród drzew u podnóża niskiej skarpy. Powyżej leżało na boku zwalone drzewo z pooranym dziurami pniem, powoli pożeranym od środka przez termity.

– Choćby to, że nie ma tu śladów zwierząt – odparł. I to go cieszyło. Oznaczało bowiem, że zwierzęta nie przechodzą tędy regularnie w poszukiwaniu wody, schronienia lub pożywienia. A Beck wiedział, że, chcąc przetrwać w buszu, należy za wszelką cenę unikać rozbijania obozu na ścieżkach używanych przez nosorożce, gepardy albo coś groźniejszego.

– No i, jak widzisz, są tu gałęzie na osłonę.

Samora spojrzała na zwaloną stertę.

– A potrzebujemy go? Noce są ciepłe, a pogoda niezła.

– To nie musi być nic wymyślnego, po prostu jakaś prosta osłona... Coś, co każe zwierzętom dwa razy się zastanowić, czy warto nas atakować – dodał. – Poza tym, zawsze lepiej być w środku niż na zewnątrz. Dla ciepła, osłony i morale.

Samora potaknęła. To prawda: człowiek zawsze czuje się lepiej, śpiąc nawet w najprostszym schronieniu, a nie pod gołym niebem.

– No dobra. A więc będziemy spać pod tą stertą...

– Myślę, że da się zrobić coś lepszego...

Gdyby Beck był właściwie przygotowany na wędrówkę przez afrykański busz, zabrałby z sobą maczetę – mógłby pociąć gałęzie i zrobić porządny szałas z dachem, ścianami i podestem nad ziemią.

Ale nie miał jej i wiedział, że ich kwatera na noc będzie więcej niż trochę prowizoryczna.

Wdrapał się na skarpę i zanurkował pod koronę gałęzi. Niektóre z nich odłamały się, gdy drzewo się zwaliło, a te, które wciąż były przytwierdzone do pnia, wahały się rozmiarami od gałązek grubości nadgarstka do konarów, których nie mógł nawet objąć obiema dłońmi. Chwycił za cienką gałąź i pociągnął.

– Możemy... – Jeszcze mocniej pociągnął za gałąź. – Pociągnąć... to... tam... I zrobić dach.

Gałąź była odchylona od drzewa. Gdy Beck oparł się o nią całym ciężarem, sterczała pod kątem dziewięćdziesięciu stopni od pnia, opadając ku ziemi. Puścił ją, a ta błyskawicznie wahnęła się z powrotem. Odwrócił się i zobaczył, jak Samora przygryza wargę, próbując się nie śmiać.

Odwiązał jeden sznur z pasa i zawiązał pętlę wokół gałęzi. Podał luźny koniec Samorze do potrzymania, a sam znów chwycił za gałąź, żeby odgiąć ją tak, jak chciał.

– A teraz skróć luz...

Samora zaparła się i pociągnęła za sznur. Beck przejął go od niej i przywiązał do cieńszej gałęzi wystającej z pnia. Tym razem została w miejscu,

184

przytwierdzona do pnia jednym końcem, a drugim niemal dotykając ziemi.

– Teraz możemy zebrać mniejsze, luźniejsze gałęzie i ułożyć po obu stronach. Luki wypchaj czym się da... I szałas będzie gotowy. Mogę cię z tym zostawić? Zwiążemy to wszystko razem, gdy już je ułożysz.

– Hmmmm... Jasne. – Samora przyjrzała się dostępnym gałęziom krytycznym okiem. – A co ty będziesz robił?

– Dotrzymywał obietnicy – odparł z uśmiechem. Rozejrzał się wokół za tym, czego potrzebował, i podniósł krótki, solidny kawałek drewna, który nie mógł się łatwo połamać. – Chciałaś ogniska, to będziesz je miała.

ROZDZIAŁ 36

Beck zostawił Samorę, by mocowała się z gałęziami, a sam zszedł na dół, poniżej zwalonego drzewa. Szukając dobrego miejsca na rozpoczęcie tego, co zamierzał zrobić, przyjrzał się bokom skarpy. I wtedy je zauważył, mniej więcej w połowie zbocza.

Była tam niewielka dziura wyglądająca jak nora wydrążona przez jakieś zwierzę. On też musiał wykopać dół, a nie było sensu marnować na to energii, jeśli inne stworzenie już odwaliło za niego część roboty.

Najpierw wetknął w dziurę nogę krzesła, żeby upewnić się, że nie ma tam lokatora. Na drugim końcu wyczuł jedynie ubitą ziemię... Nora jest pusta. Super.

Wyjął zza pasa kościany nóż i przyjrzał się czubkowi. Był ostry, ale też kruchy – połamałby się, gdyby Beck użył go do tego, co miał w planie. Odłożył więc narzędzie na bok i wziął znów nogę krzesła. Żałując, że nie ma porządnej saperki albo chociaż tej wymarzonej maczety, chwycił tępy kawałek drewna w obie ręce i wbił ostrzejszy koniec obok dziury. Przekręcił i podważył grudę ziemi. Potem powtórzył wszystko od początku, raz, drugi i trzeci.

Zabierało to sporo czasu, a im głębiej się wkopywał, tym bardziej zbita i twardsza robiła się ziemia. Kopał i kopał, powoli, ale metodycznie. Musiał wkładać sporo siły, by wbić nogę od krzesła w ziemię, ale nie chciał za bardzo się spocić, żeby nie stracić za dużo wody.

Jama w ziemi stopniowo się powiększała, aż stała się na tyle szeroka, że można było wsadzić do niej głowę. Chłopiec mógł teraz po prostu dziobać nogą ziemię z tyłu jamy, a potem wygarniać luźny piasek rękami. Gdy już ją usunął, brał się w ten sam sposób za następny kawałek.

Tymczasem Samora uporała się z szałasem i zeszła do niego, żeby się przyjrzeć.

– Mogę jakoś pomóc? – zapytała.

Nie było miejsca, żeby mogli kopać jamę we dwójkę.

– Mogłabyś pozbierać trochę drewna na opał? – poprosił ją Beck. – Małe patyki i kilka większych. – Zrobił kółko z kciuka i palca wskazującego. – Mniej więcej takie. – Wiedział, że w dole, który kopie, nie zmieści się nic większego.

– Dobra. – Samora wdrapała się z powrotem na górę, żeby pozbierać drewno, a Beck wrócił do pracy.

Kiedy skończył, jama miała długość ramienia. Nie było sensu robić głębszej – w przeciwnym razie nie mógłby dosięgnąć jej tyłu. Ale została jeszcze jedna ważna sprawa do załatwienia.

Sufit jamy znajdował się jakieś dwadzieścia centymetrów poniżej szczytu skarpy. Beck nie chciał zostawiać ani trochę mniej na wypadek, gdyby ziemia się osunęła, a jama zapadła. Trochę więcej, a jego plan by się nie powiódł.

Wspiął się na skarpę i stanął nad jamą z nogami rozstawionymi po bokach tak, żeby jego ciężar nie doprowadził do jej zawalenia. Chwycił znów nogę od krzesła i wbił ostry koniec w ziemię pod kątem prostym. Kręcił nogą w jedną i w drugą stronę, żeby wryć się głębiej. Zajęło mu to minutę, może więcej, ale powoli, kawałek po kawałeczku, wwiercał się coraz głębiej... I nagle opór zniknął. Beck przebił się przez ziemię do jamy pod sobą.

Samora zdążyła już zebrać mały stosik gałęzi i liści. Chłopak starannie wybrał potrzebne kawałki. Najpierw uformował gniazdko z suchych liści z tyłu jamy, pod poziomą dziurą, którą przed chwilą wywiercił. Na nich położył mniejsze gałązki. Powoli dokładał coraz większe patyki, aż wyszedł mu stos wielkości futbolówki.

W teorii liście powinny zająć się ogniem niemal od razu i zapalić gałązki, które z kolei przeniosą płomień na większe patyki i je rozpalą.

– Pieczona zebra na kolację? – ucieszyła się Samora.

– Już prawie... prawie.

– Świetnie... – Przekrzywiła głowę. – Nie żebym się czepiała, ale wydaje mi się, że nie warto się było tak trudzić tylko po to, żeby zrobić ognisko.

– To ognisko tunelowe. – Wskazał na poziomą dziurę. – To dla wentylacji. Gdy ogień się rozpali, będzie zasysał powietrze przez główny otwór, co ograniczy ilość dymu. Stąd będzie ulatywała tylko cienka smużka. Prawie nie powinno być jej widać. A płomienie będą całkowicie ukryte w środku. Na dodatek, będzie służyło za piec. Całe ciepło zostanie zamknięte w bardzo ograniczonej przestrzeni, co przyśpieszy grzanie. Twoja pieczona zebra będzie smaczna i miękka, a nie spalona na zewnątrz i surowa w środku, jak przy większości nieosłoniętych ognisk. To znaczy, kiedy już rozpalimy ogień...

Odsunął się i przyjrzał jamie w zamyśleniu. Dziewczyna wydawała się zdziwiona.

– Jakiś problem?

– Cóż, musimy go jakoś rozpalić, prawda? – Beck pomyślał z rozrzewnieniem o swoim ukochanym krzesiwie, towarzyszu tak wielu przygód. Ono rozpaliłoby ogień wszędzie... Tyle że spoczywało teraz na dnie oceanu.

– Dobra – zdecydował. – Do rozpalenia użyjemy świdra i łuku.

– Świdra i łuku? – Z jakiegoś powodu Samora zdawała się rozbawiona. – To to, gdy kręcisz patykiem, żeby wytworzyć tarcie?

– Aha. Owijasz cięciwę łuku wokół świdra i poruszasz nim w przód i w tył. Tylko że najpierw trzeba mieć coś na cięciwę... – Beck umilkł na chwilę, próbując sobie przypomnieć, kiedy robił to po raz ostatni. Ach tak, na Saharze z Peterem. Wtedy zrobili cięciwę z poręcznego kawałka linki spadochronowej.

– Cały sznur zużyliśmy na szałas – przypomniała Samora, wciąż się uśmiechając, jakby był to jakiś żart. – Ale może moglibyśmy skorzystać z naszych sznurówek...

Beck zmarszczył czoło. Dziewczyna wyglądała tak, jakby miała za chwilę wybuchnąć śmiechem.

– No to pójdę znaleźć drewno, którego potrzebujemy...

– To wszystko bardzo imponujące – odparła. Sięgnęła do kieszeni i wyjęła coś, czego Beck naprawdę się nie spodziewał. Mały kwadratowy kawałek plastiku. – Albo możemy po prostu użyć mojej zapalniczki.

Beck zrobił wielkie oczy. A potem pogapił się na nią jeszcze przez chwilę. Powoli wyciągnął rękę i wziął zapalniczkę. Skrzesał iskrę. Z góry wystrzelił mały gorący płomień.

– To ty palisz?!

– Nie, nie palę. Ale w biurach parku dostęp do prądu jest naprawdę kiepski. Nigdy nie wiadomo, kiedy będziesz musiał zapalić świeczkę. To co, pieczona zebra?

– Pieczona zebra! – zgodził się. – Wiesz co? – Zawiesił głos. – Całkiem dobrze mieć cię pod ręką, Samora!

ROZDZIAŁ 37

Beck obudził się nagle, błyskawicznie przechodząc z głębokiego snu do pełnej czujności.

Zasnęli z Samorą szybko, jedno z głową w nogach drugiego, z żołądkami pełnym gorącego jedzenia i kończynami zmęczonymi po ciężkim dniu marszu.

Na ziemi wewnątrz schronienia ułożyli małe gałązki i liście, by odizolować się od zimna ciągnącego z podłoża. Beck usłyszał ich szelest, gdy usiadł i się odwrócił.

Coś dużego przedzierało się przez drzewa i w ogóle nie starało się z tym kryć. Chrzęst, trzask... łamiące się patyki na ziemi. Musiało być to jakieś zwierzę. Beck siedział i nasłuchiwał, gotów obudzić Samorę i uciec, gdyby zaczęło do nich podchodzić.

Jednak po jakimś czasie był całkiem pewien, że zwierzę się oddalało. Odgłosy ucichły zupełnie. Beck radośnie odetchnął z ulgą i zaczął się kłaść. Zamierzał spróbować zasnąć, choć serce wciąż łomotało mu od adrenaliny. Nagle zamarł. Czy coś jeszcze się tam rusza?

Wytężył słuch i zmrużył oczy, by wyjrzeć zza liści pokrywających szałas. Księżyc był niemal w pełni, wszystkie drzewa były więc skąpane w srebrzystym świetle. Nie dało się odróżnić kolorów, jedynie odcienie srebrzystej szarości albo smolistą czerń w cieniach.

Właściwie to nie był odgłos, raczej wrażenie. Beck w ogóle nie zwróciłby na to uwagi, gdyby ten pierwszy hałas tak bardzo nie wyczulił mu zmysłów. Nie słyszał żadnego ruchu, ale z jakiegoś powodu miał wrażenie, że coś skrada się między drzewami. Co jakiś czas, jakby na potwierdzenie jego domysłów, to łamała się gałązka, to zaszeleścił liść.

Nie przypominało to tego, co słyszał na początku – było o wiele mniejsze. Poprzedni intruz po prostu szedł między drzewami, nie przejmując się tym, kto go usłyszy. A to... to brzmiało przerażająco podobnie do skradania się.

Zwierzę czy człowiek? Cokolwiek to było, przemieszczało się wolno z prawej strony Becka na lewą. Nie sposób było ocenić odległości, ale na pewno znajdowało się między drzewami, więc nie mogło być dalej niż dziesięć metrów.

Beck przygryzł wargę. Byli tu oboje dobrze ukryci pod dachem szałasu, który wyglądał po prostu jak stos gałęzi. Pomyślał, że nie powinni byli rozpalać tego ogniska. Wątła smużka niesionego wiatrem dymu musiała wystarczyć, by zdradzić ich pozycję.

Beck powoli dotknął Samory i potrząsnął ją lekko. Obudziła się z więcej niż lekko zdziwionym „Co?".

Beck szybo przyłożył palec do ust. Dziewczyna spojrzała na niego wielkimi oczami, a potem w milczeniu podźwignęła się i przykucnęła obok niego, wyglądając na zewnątrz. Beck pokazał jej, skąd, jego zdaniem, dochodzi dźwięk. Dziewczyna potaknęła.

Nagle z pnia drzewa oderwał się fragment cienia i wszedł w snop księżycowego światła. Srebrzysty blask wydobył kształt potężnie zbudowanego mężczyzny z gęstą grzywą włosów – mężczyzny, którego Beck widział już wcześniej w slumsach.

Goryl znów ich odnalazł!

Może jedno z nich wydało jakiś dźwięk – lekko krzyknęło albo głośniej wciągnęło powietrze – a może facet po prostu bardzo dobrze znał się na rzeczy. Kiedy przystanął, powoli odwrócił głowę w ich stronę. Jego oczy były cieniami w świetle księżyca, ale jego twarz była blada i wyraźnie widoczna.

Beck miał pewność, że nie widać ich przez liście, ale twarz mężczyzny rozciągnęła się w szerokim uśmiechu złośliwej radości. Był też pewien, że usłyszał, jak ten szepnął: „Mam was", po czym ruszył z determinacją w ich stronę.

Beck i Samora skoczyli na równe nogi, przebijając się przez dach szałasu.

– W nogi!

ROZDZIAŁ 38

Pędzili między drzewami. Wynurzające się z mroku gałęzie smagały i siekały ich twarze. Beck uniósł jedną rękę, by osłonić oczy. Drugą mocno trzymał Samorę, choć trudno było powiedzieć, które z nich jest na przedzie.

Goryl już nawet nie próbował się kryć. Beck słyszał, jak przedziera się przez krzaki za nimi, robiąc niemal tyle samo hałasu, ile to coś, co pierwsze go obudziło.

Co jakiś czas krzyczał: „Hej!", „Wy!" albo „Stójcie". A potem, ilekroć się potknął lub nadział na ciernisty krzak, mamrotał przekleństwa. Jako o wiele większy i cięższy od nich nie był przystosowany do biegania przez zarośla.

Odgłosy za nimi przycichły, ale tylko trochę. Choć Beck widział, że zyskują przewagę nad prześladowcą, nie mogło to trwać wiecznie. Goryl się nie podda, a drzewa w końcu się skończą. Prędzej czy później znajdą się z powrotem na trawiastej wyżynie. Tam będzie im o wiele trudniej. Jedyną prawdziwą nadzieję dawało znalezienie kryjówki i to tak dobrej, że facet zniechęci się do dalszych poszukiwań.

Nagle znaleźli się na polanie. Samora chciała biec dalej przed siebie, ale Beck ją powstrzymał.

– Nie, czekaj. – Polanę rozświetlał księżyc, byliby więc widoczni jak na dłoni. Przypuszczał, że mają może trzydzieści sekund, zanim facet ich dogoni. – Tam, na górę.

Podbiegli kilka metrów do drzewa na skraju polany. Jego gałęzie zaczynały się jakieś dwa metry nad ziemią. Beck splótł palce obu dłoni w strzemię. Samora postawiła na nim nogę, a chłopiec podsadził ją w górę do najniższej gałęzi. Dziewczyna szybko się podciągnęła.

Goryl, a raczej czyniony przez niego hałas, był coraz bliżej. Beck podskoczył do gałęzi i ledwo co zdołał owinąć wokół niej palce. Zahuśtał się w przód i w tył, aż udało mu się zarzucić nogi wokół pnia. To zapewniło na tyle dużo oparcia, by mógł się podciągnąć, i po chwili znalazł się obok dziewczyny.

Oboje zaczęli wspinać się ku gęstemu, maskującemu listowiu wyżej na drzewie... I nagle zamarli w miejscu, kiedy mężczyzna wypadł na polanę z zarośli.

Skrzywił się ze wstrętem, gdy rozejrzał się i zobaczył, że zniknęli. Uniósł obie ręce i pozwolił, żeby opadły po bokach. Po chwili położył dłonie na biodrach, uważniej studiując scenerię. Potem zaczął krążyć w tę i we w tę przy skraju polany.

Na szczęście wybrał niewłaściwy kierunek. Beck zaczął się rozluźniać, widząc, jak mężczyzna zezuje pod krzaki i spogląda na drzewa. Jednak po jakichś dziesięciu metrach stanął. Beck zastanawiał się, czy Goryl usłyszał jego łomoczące serce. W każdym razie zawrócił powoli i zaczął iść z powrotem.

Po zaledwie kilku chwilach spojrzał wprost na ich drzewo. Przechylił głowę na bok i ruszył przed siebie, a Beck wiedział już, że zostali odkryci.

– Nieźle, mały. – Goryl podszedł pewnym krokiem do podstawy ich drzewa. – Ty i twoja koleżanka zejdziecie sami czy ja mam wejść do was?

– Spróbuj – rzucił Beck. Rozejrzał się za gałęzią, którą mógł ułamać i użyć jako broni.

– Ja mam całą noc i cały dzień. Mam też jedzenie i wodę. A wy jak długo tam wytrzymacie?

Beck spojrzał na Samorę. Wiedział, że mężczyzna ma rację. Nie byli w stanie zbyt długo przeżyć na drzewie.

Był też całkiem pewien, że gdyby Lumos teraz w końcu dostał go w swoje łapy, byłoby po nim. Nie oszczędziliby też Samory – znała całą historię, a poza tym Lumos nigdy nie sprawiał wrażenia, jakby obchodzili go niewinni ludzie. Pozostaną jednak przy życiu tak długo, jak długo pozostaną na drzewie. Dobre i to, póki co.

Oczywiście, gdyby Goryl miał broń, mógłby po prostu ich powystrzelać jedno po drugim i byłoby po zabawie. Ale nie wyglądało na to, żeby był uzbrojony. Beck pomyślał, że to dziwna niechlujność, ale nie zamierzał narzekać. W tej sytuacji był to dla nich jedyny promyk nadziei.

Jeśli ma broń, to zapewne zostawił ją w czarnym dżipie, który jest gdzieś w pobliżu. Goryl musiałby więc po nią wrócić do auta. A Samora i Beck mogliby wykorzystać tę okazję, żeby się ulotnić – a przynajmniej lepiej się ukryć.

– No dobra, miarka się przebrała...

Goryl skoczył do gałęzi, po których Beck wspiął się na górę. Był wyższy, mógł więc je dosięgnąć, po prostu wyciągając ręce. Beck poczekał, aż mężczyzna oderwie się od ziemi, a wtedy zsunął się odrobinę i mocno przydepnął mu palce.

Goryl wrzasnął i oderwał dłonie od gałęzi. Wylądował na tyłku.

– To nie było potrzebne, mały! – Podniósł się na nogi. – Będziecie grzeczni czy...

Nagle drzewa po drugiej stronie polany zatrzęsły się i rozstąpiły. Goryl odwrócił się gwałtownie – akurat, żeby zobaczyć, jak na światło księżyca wytacza się olbrzymi nosorożec.

ROZDZIAŁ 39

Beck uświadomił sobie, że to jego słyszał wcześniej. Wielki mężczyzna poruszał się cicho, ale to coś, co go obudziło, głośno przedzierało się przez drzewa. Nosorożce się nie skradają. Nie obchodzi ich, kto je usłyszy.

Goryl wydał z siebie okrzyk zaskoczenia. Teraz Beck jeszcze bardziej ucieszył się, że facet nie ma broni.

– OK, OK... – Mężczyzna mówił bardzo cicho. Nie odrywał oczu od nosorożca, a ten od niego. – Ty jesteś ekspertem, mały. Jak sprawić, żeby to sobie poszło?

Beck spojrzał w światło księżyca oczami szerokimi ze zdziwienia, ale to Samora mu odpowiedziała:

– Nijak. One mają większe prawo tu być niż ty.

– Och, dzięki...

Nosorożec stał nieruchomo po drugiej stronie polany. Opuścił róg i przeciągnął przednią nogą po ziemi, a potem sapnął, wzbijając w powietrze chmurę pyłu. Beck wiedział, że to sygnał ostrzegawczy. Nosorożec wyraźnie nie był zadowolony z takiej bliskości intruza.

Beck pomyślał, że gdyby facet miał trochę rozumu, wycofałby się tyłem po cichu i zniknął między drzewami. Miał też jednak nadzieję, że Goryl nie ma rozumu za grosz.

Nosorożec podjął decyzję za niego. Wydał z siebie niski pomruk i pokłusował naprzód. Goryl krzyknął krótko i znów skoczył do gałęzi nad głową. Beck unosił już stopę, żeby znów nadepnąć mu na palce, ale zaraz ją opuścił.

Jeśli nosorożec jest rozjuszony, to uniemożliwiając mężczyźnie wdrapanie się na drzewo, Beck skazałby go prawdopodobnie na śmierć. Zwierzę może go stratować, poszarpać rogiem albo zadeptać potężnymi nogami. Beck nie życzył czegoś takiego nikomu. I dlatego, choć niechętnie, pozwolił mu się podciągnąć.

Goryl znalazł się na najniższej gałęzi, uczepiając się jej obiema rękami i nogami, a Beck i Samora wspięli się nieco wyżej.

Nosorożec zatrzymał się i pytająco podniósł wzrok na mężczyznę.

– Zjeżdżaj – zawołał tamten niepewnie. – Sio!

Zwierzę nie ruszyło się, wydając przez nozdrza kolejne potężne fuknięcie. Czubkiem rogu omiotło zarośla i znów gwałtownie wypuściło powietrze. Beck widział, że nosorożec jest wściekły.

Ciepły podmuch jego oddechu pachniał skoszoną trawą i obornikiem. Trącił pień bokiem rogu, wstrząsając całym drzewem. Goryl jeszcze mocniej przytulił się do gałęzi.

Po kolejnym pomruku nosorożec się cofnął. Odwrócił się, żeby łypnąć na nich z boku, a mężczyzna wykorzystał okazję, by wspiąć się nieco wyżej i mocniej uczepić drzewa.

Nosorożec nie dał mu jednak szansy. Postanowił zrobić krok w bok i otrzeć się całą długością cielska

o pień. Drzewo znów się zatrzęsło. Samora i Beck
złapali się mocniej, kiedy ich gałęzie zahuśtały się
w przód i w tył. Na głowę chłopca spadły luźne
gałązki i liście.

Beck był ciekaw, czy nosorożec uznał ich za jakiś
dziwny owoc, który chce strącić. Zwierzę przyjrzało
im się ponuro, a potem postanowiło rąbnąć głową
w pień. Drzewo przechyliło się jak statek w czasie
sztormu, a potem odskoczyło do pionu, niemal
zrzucając Becka. Mało brakowało, a Goryl dałby
się strząsnąć z gałęzi, ale uczepił się jej jedną ręką
i nogą.

Nosorożec poczęstował drzewo jeszcze jednym
uderzeniem bokiem głowy i tym razem Beck
usłyszał trzask pękającego pnia. Złapał się jeszcze
mocniej, spodziewając się, że drzewo się przewróci.
Goryl w końcu spadł z gałęzi i runął na ziemię, lą-
dując u stóp zwierzęcia. Jednym płynnym ruchem
podniósł się i uciekł w drzewa.

Nosorożec spojrzał za nim i mruknął, a potem
powoli potoczył się w zarośla. Z jego punktu widzenia zagrożenie minęło. Zwierzę zniknęło im

z oczu, a dwoje nastolatków mogło śledzić jego drogę tylko na podstawie czynionego przez nie hałasu.

Po ich prawej zaryczał silnik i usłyszeli, jak auto odjeżdża w noc.

Kiedy wrócili do obozu, serca powoli przestawały tłuc się im w piersiach. Beck zastanowił się chwilę, potem przygryzł wargę i kopnął ze wściekłością najbliższy stos drewna.

Samora zamrugała, zdziwiona.

– Co się stało?

– Co się stało?! – wściekał się Beck. – Byliśmy głupi, to się stało! – Zaraz jednak dodał, oddając sprawiedliwość: – Przepraszam. To ja byłem głupi. Powinniśmy bardziej się postarać, żeby się ukryć. Nie powinienem rozpalać tego ogniska. Powinienem lepiej zamaskować szałas.

– Beck, nie mogłeś wiedzieć, że nas wytropi...

– No i... – Beck przypomniał sobie to, w jaki sposób Goryl patrzył na niego w księżycowej poświacie. Choć ledwo mógł rozróżnić jego kształt, to jego twarz widział wyraźnie. Mężczyzna musiał go widzieć dokładnie tak samo. – Zobaczył mnie przez drzewa, bo zauważył moją twarz. Ludzka twarz świeci się i ma charakterystyczny kształt. Więc od tej pory będziemy się maskowali.

Zszedł po zboczu i przykucnął, by wydobyć z otworu ogniska bryłkę zwęglonej gałęzi. Gdy kładł ją na ogniu, wydawała się dość gruba. Teraz była krucha i szara.

– Unieś podbródek...

Samora odchyliła głowę, a Beck pociągnął węglem po jej czole i nosie, przedłużając linię bokiem jej twarzy. Potem odsunął się i przyjrzał jej w zamyśleniu, po czym znów podszedł, by dodać kilka chaotycznych maźnięć.

– Wystarczy. Człowiek instynktownie widzi dwoje oczu, nos i usta, wszystko we właściwym porządku. Rysy twarzy nawet w ciemności zamieniają się w plamy światła i cienia. Patrzący automatycznie składa je w całość, wypełniając luki i rozróżniając ludzką twarz. – Beck zawiesił głos. – A to zaburza rozpoznawanie wzorów.

Przechylił głowę w bok, by przyjrzeć się swojemu dziełu. Był całkiem pewien, że dodał wystarczająco dużo zróżnicowanych wzorów, by oszukać mózg każdego, kto mógłby ich zauważyć, nie wiedząc z góry, że są ludźmi.

Wręczył węgiel Samorze.

– Teraz ty mnie, OK?

ROZDZIAŁ 40

Wyruszyli, by przejść ostatnie kilka godzin nocy. Beck znów zobaczył zalewające wyżynę przed nimi czerwone światło świtu. Zaczynał się drugi dzień ich wędrówki.

Zostało im dość mięsa zebry, by mieli co jeść przez kolejny dzień. Beck usmażył je całe nad ogniem, żeby od razu się nie zepsuło.

Rankiem doszli do długiego pasa baobabów otaczających wielki wodopój, który rozmiarami przypominał raczej jeziorko. Był to bardzo przyjemny przystanek w podróży. Dwoje ludzi nie było jedynymi, którzy szukali cienia i wody. Niedaleko pasło się kilka impali, które przyglądały im się nerwowo, zanim odbiegły.

Baobaby to dziwne drzewa. Można odnieść
wrażenie, że ktoś zasadził je rzędem, a potem stopił.
Ich kora jest gładka i lśniąca, a pnie – bardzo grube.
Mają jednak dobre owoce o rozmiarach i kształcie
dziecięcej piłki do rugby. Ich zawartość wykrzy-
wia usta, jakby jadło się cytrusa, lecz jest pożywna
i wypełnia żołądek.

W bukłaku z żołądka zebry mieli jeszcze jedną
czwartą wody. Wypili resztę, by się nawodnić.
Smakowała dość obrzydliwie, bo przez jakiś czas
pozostawała w kontakcie z nabłonkiem żołądka,
ale zacisnęli zęby i mimo wszystko ją wypili. Potem
znaleźli płytką część jeziorka i napełnili bukłak na
nowo. Znów zaczął gulgotać-bulgotać.

Cień drzew były bardzo przyjemny, a Beck
wiedział, że wystawią się na pełną moc słońca
w zenicie. Musieli jednak iść dalej. Umykali przed
pościgiem, musieli więc odsadzić go jak najdalej
i najszybciej, jak mogli.

Kiedy zbliżyło się popołudnie, Beck z radością
zauważył tutejszy gatunek hurmy zwany szakalą
jagodą rosnący na termitierze, kopcu termitów.
Drzewo miało jedynie około trzech metrów, a jego

gałęzie na samej górze pokryte były ciemnozielonymi liśćmi, przez co kształtem przypominało nieco literę „T". Nie dawało zbyt dużo cienia, miało za to owoce – żółtozielone i okrągłe, wielkości dużych kasztanów. Beck szybko wdrapał się na drzewo, obejmując pień nogami i przesuwając się w górę, a tam zerwał kilka kiści.

Skórka owoców była twarda – trzeba było nagryźć ją przednimi zębami, a potem oderwać resztę. Miąższ w środku był kredowy i z lekkim posmakiem cytryny, ale jadalny.

Pod drzewem piętrzyła się termitiera. I to jej widok najbardziej ucieszył Becka.

Wyglądała, jakby została wyrzucona w powietrze przez jakąś podziemną eksplozję, a potem zamarzła. Była spadzista i spiczasta, a do tego odrobinę wyższa od chłopca. Widać było tylko dwa czy trzy termity przemykające po powierzchni. Beck wiedział jednak, że w środku żyją ich miliony.

W przeliczeniu na wagę termity są pożywniejsze od warzyw, mają też więcej białka niż wołowina. Ta termitiera była jak dar z niebios. Niestety, jak Beck dobrze wiedział, ludzie zazwyczaj patrzą na to inaczej. Szukał w głowie najlepszych słów, by zasugerować koleżance, że może powinni zjeść trochę robaków.

– Lubisz gałkę muszkatołową? – zagadnął, jakby z ciekawości.

Coś w tonie jego głosu kazało Samorze spojrzeć na niego nieufnie.

– Może. A co?

– Skoro tak, to... – Beck podniósł patyk. – Polubisz coś, co smakuje podobnie, co?

Gdy zrozumiała, o czym mówi chłopak, jej oczy się rozszerzyły. I ku jego zdziwieniu uśmiechnęła się szeroko.

– Czyli jak termity?

Wzięła od niego patyk, wbiła w termitierę i pokręciła. Gdy go wyciągnęła, był cały w owadach. Naturalny odruch kazał im wgryźć się w drewno i się go trzymać. Samora oderwała jednego termita i wsadziła sobie do ust.

– Tak naprawdę nigdy wcześniej się nad tym nie zastanawiałam, ale faktycznie smakują jak gałka muszkatołowa, no nie?

– Hmmm... Tak. – Beck wciąż nie mógł się nadziwić jej brakowi oporów. Oderwał kilka z patyka dla siebie. – No dobra, robiłaś to już wcześniej, prawda?

– Cóż, nie żeby termity były jedynym, co jemy w RPA (mamy też sklepy i tak dalej), ale masz rację, pokazuję to jako sztuczkę turystom w parku i oni zawsze się krzywią!

Beck nie mógł ukryć uśmiechu.

– Ale w sumie to nawet lubię ten smak – przyznała.

Wspólnie zjedli wszystkie owady na patyku, a potem ruszyli dalej, by wykorzystać ostatnie godziny popołudnia. Gdy słońce ostygło, a niebo przed nimi stało się czerwone, Beck pomyślał, że mają całkiem niezłe tempo. Być może jutro o tej porze znajdą się z powrotem w stróżówce Jednostki Zielonej.

Przed sobą zobaczył zbocze wzniesienia. Na tle zachodzącego słońca rysowały się sylwetki drzew i krzewów rosnących na górze.

– Obóz? – zaproponował.

213

Samora krytycznie przyjrzała się terenowi przed nimi.

– Dużo osłon. Na drzewie może być lampart, a ty nawet go nie zauważysz, dopóki nie spadnie ci na głowę. Ale możemy sprawdzić... – Urwała, przekrzywiając głowę. – Słyszysz to?

Beck nasłuchiwał przez chwilę.

– Nie.

Samora podkradła się do drzew, a potem znowu się zatrzymała, unosząc rękę. Tym razem Beckowi wydawało się, że też coś usłyszał. Coś jakby niesione z wiatrem skomlenie.

– Brzmi jak jakieś zwierzę.

– Cierpiące zwierzę – poprawiła Samora.

Beck zerknął odruchowo na niebo. Nie było sępów. Jeśli stworzenie cierpiało, to ptaki jeszcze się tym nie zainteresowały.

Ostrożnie podążyli za skomleniem. I w końcu głęboko wśród drzew znaleźli jego źródło.

ROZDZIAŁ 41

Na naturalnej polanie wysuszonej ziemi leżało na boku zwierzę wielkości wielkiego psa. Jego boki podnosiły się ciężko i co jakiś czas wstrząsał nim dreszcz, jakby straszliwie cierpiało.

I to naprawdę był pies – likaon pstry, dziki pies afrykański.

Szczupłe brązowawożółte ciało na długich patykowatych nogach maskowały naturalnie pasiaste łaty, dzięki którym trudno go było zauważyć w wysokiej trawie. Miał krótki szeroki pysk i przypominające okrągłe talerze radarów uszy, które błyskawicznie się nastroszyły, gdy tylko podeszli bliżej. Beck nie miał wątpliwości: zwierzę jest świadome, że tu są.

Nie warknęło jednak ani nie podniosło głowy, by na nich spojrzeć. Beck podejrzewał, że likaon jest zbyt osłabiony, by się nimi przejmować.

– Och, biedactwo! Patrz! – szepnęła Samora, choć mogli rozmawiać normalnym głosem i nie sprawiłoby to większej różnicy.

Beck zauważył, że przednie łapy i ramiona zwierzęcia owija kawałek drutu, a sama pętla przymocowana jest drugim drutem do wyższej gałęzi, co dociska uwięzione łapy mocno do piersi, zupełnie uniemożliwiając mu chodzenie.

– To sidła – stwierdził ponuro Beck. – Ktoś przygiął gałąź do ziemi i ją tam przywiązał albo przybił. Potem przymocował do gałęzi pętlę drutu. Kiedy zwierzę staje w pętli, trąca mechanizm i uwalnia gałąź, która odskakuje na miejsce i zaciąga pętlę.

Używał czasem sideł do chwytania zwierząt. Ale tylko w ostateczności, kiedy naprawdę potrzebował jedzenia. Dostosowuje się je do rodzaju zwierzęcia i nigdy nie zostawia się ich bez nadzoru tak, żeby wpadło w nie przypadkowe zwierzę.

– Pewnie zastawili je kłusownicy. Biedak może leżeć tu od wielu dni i powoli zdycha – mruknęła Samora.

– Dobra... – Beck, spokojnie okrążywszy psa, stanął przy jego głowie. Uszy zwierzęcia podążyły za ruchem chłopaka. Podniósł na niego czujne ciemnobrązowe oczy.

– Uważaj – ostrzegła dziewczyna. – Są prawie tak oswojone jak wilki.

– Wilki nie są w ogóle oswojone.

– Otóż to. Ten pies, a właściwie suka, bo to ona, nie będzie widzieć w tobie pana. Tylko zwierzynę. Nie daj się zwieść temu, że w tej chwili wydaje się potulna.

Beck odsunął się poza linię wzroku zwierzęcia. Psy wierzą w dominację. Jeśli jesteś większy i patrzysz im w oczy, mogą uznać to za wyzwanie. Nie chciał, żeby suka poczuła się osaczona.

– Wiesz, Beck, likaony są zagrożone wymarciem... Powinniśmy spróbować ją uwolnić – szepnęła Samora.

– Zgadzam się. – Beck dojrzał w tych piwnych oczach inteligencję. Nie mógł pozwolić na to, żeby ten wzrok zgasł i zaszkliła go śmierć.

Miał za pasem kościany nóż, którym wykroił mięso z zebry. Wyjął go i upewnił się, że ostrze wciąż jest mocno przymocowane do rękojeści. Potem okrążył sukę, zachodząc ją od tyłu. Jej uszy drgnęły. Zdawała sobie sprawę z jego obecności, ale miał nadzieję, że skoro go nie widzi, to może nie spanikuje.

Beck ukląkł i powoli wsadził ostrze między niewielką lukę między skrępowanymi przednimi łapami. Poczuł, jak dotyka drutu i zaczepia się o niego. Zaczął delikatnie ruszać ostrzem na boki, żeby poluzować pętlę. Kość była krucha i w każdej chwili mogła się złamać.

Suka zaskomlała. Beck oparł się pokusie, by ją dobrodusznie poklepać. Jak zauważyła Samora, te psy nie są oswojone. To nie domowy labrador jego sąsiada, najbardziej przymilny i przyjacielski ssak pod słońcem. Miał do czynienia z niebezpiecznym drapieżcą, zmuszonym do tymczasowego rozejmu z jednym z ludzi, którym wydawało się, że tu rządzą.

Drut się poluzowywał. Beck złapał za pętlę i delikatnie wyjął ją z bruzdy w miejscu, w którym wpiła się w łapę. Suka mruknęła i zaczęła się szarpać. Beck zdjął pętlę do końca, uwalniając ją. Poszurała przednimi łapami, próbując wstać.

Beck błyskawicznie się cofnął. Suka zatoczyła się i upadła w przód. Łapy nie były jeszcze dość silne, by utrzymać jej ciężar.

Samora wyszczerzyła się od ucha do ucha.

– Dobra robota, Beck. Może... – Jej uśmiech stężał, a potem powoli opadł. – Beck...

Chłopiec oderwał wzrok od psa, podążając za jej spojrzeniem. W zaroślach zaświeciły zielone oczy, odbijając światło zachodzącego słońca. Ciemne kształty poruszyły się. Na wprost, lewo i prawo – wszędzie dokoła. Cztery, pięć, sześć sylwetek.

Beck zapomniał o jednym fakcie, jeśli chodzi o likaony. O tym, że poruszają się w watahach.

A ta właśnie wróciła.

ROZDZIAŁ 42

– Hej. Hm... Dobry piesek? – wydukał Beck.

Jeden z likaonów warknął, a potem cofnął się, gdy Beck się do niego odwrócił.

– Uuu. Co mam robić? – zapytał Samorę.

– Odsuń się od rannej suki. Będą chciały jej bronić, jeśli pomyślą, że zamierzasz zrobić jej krzywdę.

Uwolnione zwierzę wciąż próbowało się podnieść na okaleczonych łapach. Chociaż powoli wracały mu siły, szło to z trudem. Beck zrobił kilka wolnych, ostrożnych kroków do tyłu.

Jeden z psów podbiegł i upuścił przed ranną towarzyszką oderwaną nogę antylopy, którą trzymał w pysku. Wgryzła się w nią ze stłumionym pomrukiem wdzięczności.

– Niesamowite – szepnęła Samora. – Wataha dba o swoich. Przynieśli jej coś do jedzenia.

Reszta psów powoli krążyła wokół dwójki przyjaciół. Beck wiedział dokładnie, jak to wszystko wygląda z psiej perspektywy: ich towarzyszka jest ranna, a ci ludzie są przy niej, więc to oni musieli być temu winni. Psy nie mogły zrozumieć prawdy, że Beck ją uwolnił.

– Atakują ludzi? – mruknął.

– Rzadko.

– OK... – Zamilkł. – Czyli nie „nigdy".

– Nie.

I znów nastała cisza. Kolejny pies zbliżył się, a potem szybko się cofnął, gdy Beck wykonał ruch.

– Pozwolą nam odejść w spokoju?

Samora rozejrzała się wokół. Byli otoczeni.

– Pewnie nie. Jeden z nich w końcu zdobędzie się na odwagę i na nas skoczy. Lepiej od razu wybijmy im to z głowy.

Nagle zamachała rękami i podbiegła do najbliższego – i największego – psa, który wyglądał, jakby miał ochotę schrupać człowieka na następny posiłek.

– Ha! – zawołała.

Likaon odskoczył.

– Ha! Chodź, Beck, ty też. Ha!

Podbiegła do następnego psa, wywijając młynka rękami. Beck poszedł za jej przykładem. Wataha rozpierzchła się przed nimi.

– One czują respekt do każdego, kto jest od nich większy i silniejszy. Musimy więc zadbać o pozory. Ha! Tędy!

Krzycząc i wymachując rękami, dotarli do skraju polany. Wataha skupiła się za nimi, otaczając ranną samicę.

– A teraz po prostu odejdźmy... – powiedziała Samora. Złapała chłopca za rękaw i delikatnie pociągnęła między drzewa. Gałęzie zamknęły się za nim, a kiedy się odwrócił, nie widział już psów. – Pora przyspieszyć...

Wyszli prędko na otwartą przestrzeń. Słońce wisiało już bardzo nisko, więc krajobraz tonął w czerwieni i szarości. Zostało im może pół godziny światła.

– ...i się nie zatrzymujmy – dodała.

Szli raźnym krokiem. Na razie nie było sensu biec. To by ich kosztowało zbyt wiele energii.

Najważniejsze, żeby oddalić się od likaonów, utrzymując miarowe tempo.

– Mogą zmienić zdanie? – zapytał Beck.

– Mogą. Mogą uświadomić sobie, że wciąż są głodne i chętnie by coś zjadły. Mogą też po prostu o nas zapomnieć i położyć się spać.

Beck pomyślał, że oni w najbliższym czasie na pewno tego nie zrobią. Nie wtedy, gdy w pobliżu kręci się wataha likaonów. Będą musieli znaleźć daleko stąd bezpieczne miejsce, gdzie łatwo się bronić. Gdyby psy zaskoczyły ich w szałasie zeszłej nocy, nie mieliby żadnych szans.

Zaczął układać plan. Może drzewo – coś wielkiego i mocnego z szeroką koroną. Na przykład baobab...

Za nimi rozległo się przeciągłe wycie, któremu po chwili odpowiedział chór skowytów. I znów wycie...

– Chyba jednak zmieniły zdanie – stwierdziła Samora. – W nogi!

ROZDZIAŁ 43

Gdy biegli, po nogach smagała ich wysoka trawa.
Beck nie chciał oglądać się za siebie. To by tylko ich
spowolniło. W wyobraźni już widział psy – smukłe
ciemne kształty, mknące po ziemi jak wycelowane
prosto w nich torpedy.

– Da się je znowu odstraszyć? – Jego głos drgał
w rytm stąpnięć. – Narobić dużo hałasu?

Z każdym krokiem o pas uderzał mu bukłak
z wodą, wciąż przewieszony przez ramię. Zastanawiał się, czy go nie odrzucić, żeby było mu nieco
lżej. Ale żeby wyrzucać wodę? Kiepski pomysł.

– Jeśli... postanowiły... zapolować.... – Samora
wydyszała słowa w biegu – to znaczy, że... zdobyły
się... na odwagę.

– OK... – Beck spojrzał przed siebie, rozglądając się. Ziemia nie była płaska. W oddali widział kępy drzew i stosy kamieni. Może udałoby się znaleźć jakieś miejsce, w którym łatwo się bronić. W którym psy mogą atakować tylko z jednego kierunku. Gdyby znalazł coś (gałąź albo kamień), co posłużyłoby mu za broń, mógłby je odgonić, sprawić, żeby się rozmyśliły...

Samora zwolniła.

– Co jest? – zapytał osłupiały.

Zgięła się, kładąc ręce na kolanach. Beck nie mógł uwierzyć, że już się zmęczyła. I miał rację, bo po kilku wdechach wyprostowała się i spojrzała mu w oczy.

– Musimy się rozdzielić – rzuciła.

– Rozdzielić?

– To wataha. Trzymają się razem i razem polują. A to znaczy, że mogą ścigać tylko jeden cel. Nas jest dwoje. W najgorszym wypadku pogonią tylko za jednym z nas. W najlepszym stracą orientację i w ogóle zaprzestaną pościgu. Ale musimy to zrobić teraz, Beck. Mamy dwie minuty przewagi. Najwyżej.

Beck patrzył na nią z rozdziawionymi ustami. Jego rozsądek instynktownie buntował się przeciw temu pomysłowi. Przecież są przyjaciółmi! A tacy się nie rozdzielają! Trzymają się razem...

Samora wiedziała jednak więcej od niego o psach stadnych. Nie było czasu na kłótnie.

– Dobra... – Spojrzeli na siebie, a Beck uświadomił sobie z bólem serca, że być może żegnają się już na zawsze. – Wiesz, jak dotrzeć na miejsce, tak? – Samora potaknęła. – A więc przejdziemy całą noc i znajdziemy się, gdy zrobi się jasno...

Powodowani nagłym instynktem, wpadli sobie w objęcia. Potem, nie mówiąc już nic, Samora ruszyła w prawo, a Beck w lewo, i zaczęli biec, ile sił w nogach.

Na horyzoncie widział wybrzuszenie, które mogło oznaczać skały, a przynajmniej taką miał gorącą nadzieję. Jakieś sto metrów dalej rosło kilka drzew. Psy nie wspinają się na drzewa. Pytanie tylko: czy zdąży do nich dobiec? A więc – skały. Jeśli wespnie się na górę, powinno mu się udać obronić przed likaonami. Miał w końcu więcej sprytu niż one. Jego stopy bębniły o wyschniętą ziemię. Po jakichś trzydziestu sekundach zwolnił nagle do szybszego truchtu.

– Chodźcie, pieski... – zawołał. – Hau, hau. – Potem gwizdnął. – Do nogi!

Potrafił biec szybciej niż Samora. Był wyższy i miał dłuższe nogi – a to oznaczało, że jeśli oboje pobiegną najszybciej, jak mogą, to ona będzie łatwiejszym celem. Jest wolniejsza, więc psy pogonią za nią.

I dlatego sam musi się im wystawić. Trzeba tylko przekonać psy, że to jego mogą złapać bez większego wysiłku. Jeśli może coś na to poradzić, nie pozwoli, by rozszarpały jego przyjaciółkę.

Przez mrok za nim przedarło się szczekanie. Likaony łyknęły jego przynętę. Beck błyskawicznie rzucił się do ucieczki.

– Usain Bolt może się schować! – warknął przez zaciśnięte zęby.

Jeśli Beck Granger zamierzał kiedyś biec jak złoty medalista olimpijski, to właśnie teraz – z watahą psów depczących mu po piętach.

Raptem zaczepił stopą o korzeń i potknął się, machając rękami w rozpaczliwej próbie zachowania równowagi. Runął na ziemię, ale jednym płynnym ruchem przetoczył się, skoczył na nogi i popędził na złamanie karku.

Psy jednak szybko zmniejszały dystans.

ROZDZIAŁ 44

Były teraz ciche, skupione na pościgu. Nie musiały już szczekać. Jedynymi dźwiękami było bębnienie stóp Becka o ziemię oraz rzężenie powietrza w płucach. Szóstym zmysłem czuł je jednak za sobą – czuł, że się zbliżają.

O dziwo, nie miał im tego za złe. Robiły tylko to, co leży w ich naturze – polowały na zwierzynę dla watahy. Takie jest prawo natury. To nic osobistego. Nie knuły spisku na jego życie, bo był niewygodny i istniało ryzyko, że obnaży ich kłamstwa i narazi finanse. Innymi słowy, nie były jak Lumos.

One chciały po prostu go pożreć. Były też szybsze, silniejsze i liczniejsze. Jeśli chciał przeżyć, musiał je przechytrzyć.

Na obrzeżach jego pola widzenia pojawiły się ciemne kształty, sunące na ziemi. Miał je po bokach. Skoro go dogoniły, to czemu jeszcze żył? Dlatego – podpowiedział głos rozsądku gdzieś z tyłu głowy – że muszą zająć pozycję, by się na mnie rzucić i obalić na ziemię.

Dlatego na razie po prostu go otaczały i odcinały, dotrzymując mu kroku. Nie musiały się spieszyć. Wiedziały, że to on zmęczy się pierwszy. A kiedy zwolni, zaatakują go w mgnieniu oka i będzie po wszystkim. Beck wiedział, że nie da rady utrzymać tego tempa na dłuższą metę.

Skały, które sobie upatrzył, leżały na wprost, przypominając zawalony kurhan – była to niewielka ściana skalna, wysoka może na cztery-pięć metrów, ze zwałem głazów u podstawy. Ten widok dodał mu nieco sił. Pobiegł w stronę najbliższego fragmentu i zmusił się, by utrzymać tempo. Ciało ostrzegało go, że zaraz wbiegnie w litą skałę, i chciało, żeby wyhamował, zanim zrobi sobie krzywdę.

To nic w porównaniu z tym, co czeka cię w przeciwnym wypadku – upomniał stanowczo swoje krnąbrne ciało. – Nie zatrzymuj się.

Na wprost przed nim wyrastała najbliższa skała. Beck zebrał się w sobie, a potem równocześnie wbiegł i skoczył, wdrapując się na górę.

Teraz w końcu mógł się obronić. Stał na wąskiej półce, plecami do litej skały. Psy mogły zaatakować go tylko z jednego kierunku.

Zdezorientowana wataha stłoczyła się u podstawy i zaczęła ujadać. Z psiego punktu widzenia złamał zasady gry. Zwierzyna łowna nie powinna się tak zachowywać. Pierwszy pies skoczył na skałę w ślad za nim, drapiąc przednimi łapami gładką powierzchnię w poszukiwaniu oparcia.

Beck doskoczył do niego.

– Ha! Zmiataj!

Zamachnął się nogą w jego głowę. Zwierzę uchyliło się i puściło. Likaon przekręcił się w powietrzu i wylądował z głuchym odgłosem na czterech łapach.

– O, tak! Pierwsza runda dla człowieka! Kto następny?

Z dołu odpowiedziały mu warknięcia i pomruki.

Beck wyjrzał za krawędź. Napotkał spojrzenie kilku par lśniących zielonych oczu. Inny pies z wahaniem położył łapy na skale.

– Ha!

Zwierzę nie oderwało łap. Ale też nie próbowało do niego wskoczyć. Beck zastanawiał się, czy nie dochodzi czasem z psami do porozumienia. Nie zaatakują, dopóki będzie oddychał...

A więc wystarczy, że wytrzyma bez snu całą noc, a potem cały dzień, aż w końcu Samora przyśle tu kogoś po niego. W tej chwili nie wydawało się to prawdopodobne.

– Potrzebny mi lepszy plan – bąknął do siebie.

Nadal miał trochę wody, a nawet kawałek mięsa zebry. Czy psy odeszłyby, gdyby im je rzucił? Czy też uznałyby to za przystawkę? Zdecydował, że nie będzie tego sprawdzał. Nie wiedział, ile czasu tu spędzi, a innego jedzenia nie miał...

Pazury zadrapały o skałę. Beck zamarł, a potem powoli się rozejrzał.

– O... kurczę.

Wąska półka, na której stał, ciągnęła się w obie strony. Najwyraźniej okrążała niewielkie wzgórze i opadała ku ziemi, bo jeden z psów zakradł się z drugiej strony i wszedł na górę. Stał teraz ledwie kilka metrów od niego i wystarczyło, żeby skoczył.

– Ha!

Pies się wzdrygnął, ale nie cofnął. Beck spróbował raz jeszcze.

– Ha, powiedziałem! Ha! Zmiataj! Głupi pies!

Tym razem likaon nawet nie drgnął. Nie był tchórzem. Skoro już zdobył się na odwagę, by się tu wdrapać, nie zamierzał ustąpić. Opuścił głowę niemal do ziemi i obnażył zęby. Długie, okrągłe uszy wycelowały się prosto w Becka.

Uderz, gdy będzie w powietrzu – powiedział sobie. Nie odrywając oczu od psa, powoli przesunął stopy, żeby znaleźć się w odpowiedniej pozycji. Przykucnął. Będzie miał tylko jedną szansę.

Drapieżnik skoczy, a gdy to zrobi, nie będzie mógł już zmienić kierunku. Jeśli Beck zdoła się wśliznąć pod niego, unieść i zrzucić za krawędź...

Ostatnia szansa. Jedna jedyna. Chłopiec i dzikie zwierzę byli gotowi do nadchodzącego starcia.

Wtedy rozległ się strzał, a mrok rozerwał potężny trzask. Fragment skały między Beckiem a psem rozerwał się na malutkie odłamki. W tej samej chwili dał się słyszeć piskliwy brzęk uderzającej kuli.

Likaon odwrócił się i uciekł z powrotem po półce. Wataha na dole zakotłowała się w popłochu. Kolejny strzał, kolejne uderzenie kuli, tym razem na skale poniżej Becka. Wataha pierzchła.

Beck usiadł i wpatrzył się w mrok, próbując dostrzec nieoczekiwanego wybawiciela. Nagle zamarło mu serce... bo przez trawę zmierzała ku niemu znajoma sylwetka Goryla.

Było nawet gorzej, niż się obawiał, gdy zobaczył, że za mężczyzną podąża James Blake.

ROZDZIAŁ 45

Beck zamknął oczy i walnął głową w kolana.

Jakaś jego część zastanawiała się, czemu siedzi bez ruchu, podczas gdy jego najwięksi wrogowie spokojnie do niego podchodzą. Prosta odpowiedź brzmiała: bo jest wycieńczony. Nie miał już siły biec.

Mężczyzna zbliżył się do skał i podniósł wzrok. W jednej ręce trzymał luźno samopowtarzalny karabin myśliwski z kolbą opartą o biodro. Na sobie miał koszulę w kolorze khaki i spodnie, które mogły pochodzić z demobilu.

James miał ręce na biodrach i szeroki uśmiech na twarzy. Ubrany był jak mieszczuch na wakacjach, w T-shirt, długie szorty i sandały.

– Nie musisz dziękować – odezwał się Goryl. – Schodzisz, mały?

Beck rozpatrzył wszystkie opcje w mniej niż sekundę. Nie było ich wiele. I prawdę mówiąc, nie miał ani szans, ani możliwości ucieczki, bo tuż przed nim stał uzbrojony mężczyzna.

– Nie, dzięki. Raczej zostanę tutaj.

– Mały... – Goryl próbował przemówić mu do rozsądku. – Gdybym chciał cię zastrzelić, już byś nie żył. – Dla podkreślenia zarzucił pasek karabinu na ramię. Uniósł puste ręce do góry. – A gdybyśmy chcieli mieć rozrywkę, wystarczyło, że zostawiłbym cię tym pieskom na pożarcie.

James zdzielił go przyjacielsko pięścią w ramię.

– Nieprawda – upomniał towarzysza. Goryl wzruszył ramionami.

– Skoro tak mówisz.

Mężczyzna kilkoma szybkimi ruchami wspiął się do Becka. Wyciągnął rękę do Jamesa, który powoli i niezdarnie wdrapał się do nich. Beck był gotów uciec, ale nie miał dokąd. Nawet gdyby zrobił to wtedy, gdy mężczyzna pomagał Jamesowi, tamten błyskawicznie by go dogonił.

Zresztą, do zmęczonego mózgu Becka w końcu zaczął docierać fakt, że Goryl ma rację. Mógł zastrzelić go już wcześniej. Ale tego nie zrobił. I dlatego Beck nie ruszył się z miejsca. Skapitulował.

James podsunął się do niego z zadowolonym wyrazem twarzy.

– Mogę?

Nie czekając na pozwolenie, usiadł po turecku przed Beckiem. Goryl oparł się plecami o kamienną ścianę. Beck czekał, aż drugi chłopiec sam się odezwie.

– Nie mam do ciebie pretensji, że mi nie ufasz, Beck. – James posłał mu krótki i nerwowy uśmiech. – Ale patrzysz teraz na innego człowieka. To ty pomogłeś mi się zmienić. Jestem twoim dłużnikiem.

Beck spojrzał na niego sceptycznie.

– Aha, to jest Ian – dodał James, pokazując skinięciem głowy Goryla. – Ian Bostock. Chyba powinniście się poznać.

– Hej – przywitał się krótko mężczyzna.

Beck nadal nie ufał sobie na tyle, by odpowiedzieć grzecznie, więc tylko mruknął. Uśmiech Jamesa jeszcze się poszerzył.

– Wow. Od czego by tu zacząć...

– Jak widzę, przeżyłeś Wyspę Alfa – podpowiedział Beck.

– Tak... – Uśmiech Jamesa przygasł. – Przeżyłem.

Beck wiedział, że na eksplodującej platformie zginęła matka chłopca. Beck chciał zostać i jej pomóc, mimo że próbowała go zabić. Po prostu tak podpowiadało mu sumienie. Wiedział, jak to jest stracić matkę. Nikt nie powinien przez to przechodzić – nawet James i nawet z matką taką jak Abby.

– Przykro mi, że tak wyszło – powiedział i naprawdę było mu przykro.

James wzruszył ramionami.

– Tak, wiem, że ci przykro. Krótko mówiąc, znalazłem się w jednej z kapsuł ratunkowych i wyrzuciło mnie na wyspę. Dzięki tobie wiedziałem dość, żeby utrzymać się przy życiu, choć nie było łatwo. Ale sporo się nauczyłem. A jedną z rzeczy, które pozwoliły mi przeżyć, było myślenie o różnych sposobach na zadanie ci śmierci. Było ich wiele, a ja miałem mnóstwo czasu, żeby je zaplanować. Byłem na tej wyspie przez dwa miesiące. Całe dwa miesiące.

Mówienie komuś jak gdyby nigdy nic, że chciało się go zabić, to dziwny sposób na zagajenie rozmowy, a Beck nie wątpił, że James jest śmiertelnie poważny. Ale cóż, ten chłopak miał naprawdę dziwne dzieciństwo – upomniał się. I dlatego odpowiedział tylko:

– Przykro mi.

James się uśmiechnął.

– I wiesz co? To najlepsza rzecz, jaka mnie w życiu spotkała. Choć, prawdę mówiąc, ledwie przeżyłem kilka pierwszych nocy. Ale w kapsule były racje żywnościowe na czarną godzinę, a ty pokazałeś mi, jak zdobyć wodę, znaleźć jedzenie i rozpalić ogień. Z tym biedziłem się najdłużej, możesz mi wierzyć. I przez cały ten czas byłem wściekły. Wściekły na ciebie. Momentami miałem wrażenie, jakbyś tam był, tuż przed moimi oczami, a ja krzyczałem i przeklinałem cię za to, że mnie zostawiłeś na śmierć, i dodawałem sobie otuchy, myśląc o tym, jak się na tobie zemszczę.

James miał na tyle przyzwoitości, by się wyraźnie zawstydzić.

– I nagle, pewnego dnia, zasnąłem z ciepłym jedzeniem w żołądku, a kiedy się obudziłem, ognisko nadal się paliło. Odłożyłem sobie trochę jedzenia na śniadanie, więc wiedziałem, że nie będę głodował. A dzień był piękny... I wtedy zrozumiałem, że zawdzięczałem ci życie. Tobie i temu wszystkiemu, czego mnie nauczyłeś, próbując nas uratować. Nas wszystkich.

James zrobił pauzę.

– Tamtego dnia, gdy byłem sam, doznałem olśnienia. Nagle uświadomiłem sobie, że czuję się spokojny i szczęśliwy, jak nigdy wcześniej. Na przekór wszystkiemu.

Znów zamilkł, jakby szukał właściwych słów.

– Byłem tam sam... Miałem czas wszystko przemyśleć. Samodzielnie. Ciężko pracowałem, żeby utrzymać się przy życiu. I, prawdę mówiąc, to była dla mnie pierwsza prawdziwa praca. Nie czułem żadnej presji. Nikt mnie nie zmuszał, żebym był kimś, kim nie chciałem być. Nikt mi nie mówił, że to nie szkodzi, że ktoś zginął, skoro Lumos na tym korzystał. Innymi słowy...

Urwał. Beck dokończył za niego w myślach: innymi słowy, uwolnił się od zgubnego wpływu matki.

– Nadal mi jej brakuje – powiedział cicho James, jakby czytając Beckowi w myślach. – No bo w końcu była moją matką. Tego się nie zapomina, no nie?

Beck pokręcił głową. James nie odzywał się przez chwilę, a potem podjął opowieść:

– Życie bywa czasem okrutne. Ale dostajemy je tylko jedno, a ja chciałem przeżyć je dobrze. Nie źle. I w końcu jakiś samolot zauważył wielkie „SOS", które ułożyłem na plaży. Kolejna z twoich wskazówek, pamiętasz? Wtedy uświadomiłem sobie, że mam wybór. Żyć według jej zasad albo własnych. Żyć źle albo żyć dobrze.

– No a co zamierzałeś zrobić z Lumosem? – zapytał Beck.

James zamilkł.

– Nie miałem pojęcia. Ale wiedziałem, że chcę żyć inaczej. – Kiedy spojrzał na Goryla, jego uśmiech nagle znów się ocieplił. – I wiedziałem, że Ian może nam pomóc. – Zawiesił głos. – No, opowiedz mu o sobie, Ian.

ROZDZIAŁ 46

Ian się skrzywił. Beck podejrzewał, że mężczyzna
nie należy do tych szczególnie rozmownych.

– Pracowałem dla Abby, matki Jamesa, kiedy
był jeszcze malutki – zaczął. – Zbliżyliśmy się do
siebie, ona i ja. Myśleliśmy nawet o tym, żeby się
pobrać. Ale nie podobało mi się, dokąd zmierza
jej życie, i chciałem uchronić przed tym Jamesa. –
Odwrócił się do chłopca, a jego twarde męskie rysy
na chwilę złagodniały. – Był miłym dzieciakiem...
No i pokazała mi drzwi. Ale James i ja pozostaliśmy
w kontakcie.

James czekał chwilę, ale stało się jasne, że Ian
powiedział już to, co miał do powiedzenia. Wzruszył więc ramionami i sam podjął wątek:

– Opowiedziałem Ianowi o wszystkim, co się stało, i zgodził się pomóc.

Beck pomyślał o swoim pierwszym spotkaniu z Ianem w tamtych slumsach, gdy tamten podjechał ryczącym czarnym dżipem i próbował go zaciągnąć do środka.

– Dziwna ta wasza pomoc – rzucił do mężczyzny.

Ian i James odrobinę zmrużyli oczy.

– Dziwna czy nie, mały, uratowaliśmy ci życie. Tobie i twojemu wujkowi – odparł Ian.

– Gdzie? W slumsach?

– W Londynie – odezwał się James. – Ian wciąż pracuje dla Lumosu, choć już nie dla mojej mamy. Doszły go słuchy, że dziadek szykuje coś wielkiego.

– Coś wielkiego?

– Zamach, który załatwiłby cię na dobre – wyjaśnił mężczyzna. – Próbowali sprytem. Pamiętasz, ta cała afera na Karaibach miała cię zdyskredytować i wyeliminować, żeby wszyscy cię zapomnieli... No cóż, pan Blake zdecydował, że nie ma co się dalej szczypać. Chciał nasłać na ciebie kolesi z bronią.

Środek nocy, kop w drzwi, pif, paf, puf i po kłopocie.

– Musiałem więc was stamtąd wykurzyć – dokończył James. – I zwabiłem was do RPA.

– Mogliście po prostu nas ostrzec – zauważył Beck.

– Żeby dziadek się zorientował, że ktoś od nas cię uprzedził? Nie. Musiało być jasne, że to twój pomysł. Plan był taki, żeby cię tu zwabić i porwać przy świadkach, a potem upozorować zabójstwo. Wtedy moglibyśmy uciąć sobie taką pogawędkę jak teraz. Ale, oczywiście, musiałeś wszystko zepsuć, jadąc nagle do slumsów, a potem dając się porwać kłusownikom...

– Wykonaliśmy plan A, B i C, a tu figa – stwierdził Ian i po raz pierwszy prawie się uśmiechnął. – Trudno cię było znaleźć. Szczególnie gdy rozwaliłeś lokalizator. Potem nawet ucieszyłem się, że mam wyzwanie. Musiałem wytropić cię po staremu. Jak myśliwy zwierzynę.

– No tak... – Nie tak dawno temu razem z przyjaciółką Brihony starali się wytropić pewnego człowieka w australijskim Outbacku. Była to ciężka i frustrująca robota, ale tak, gdy teraz sobie o tym przypominał, było w tym też sporo frajdy. Choć nie lubił za bardzo, gdy nazywano go „zwierzyną". – A teraz co? Plan D?

– Pewnie tak – odparł James. – Właściwie to nie liczyłem. Lumos naprawdę uważa cię za martwego, a przynajmniej będzie, kiedy Ian im zamelduje, że widział, jak rozszarpują cię dzikie psy.

– Krew, wrzaski... – wyszczerzył się Ian. – Makabra. Panu Blake'owi się to spodoba.

Nagle jego uśmiech zgasł i mężczyzna spojrzał w dal. Zaczął wyjmować lornetkę z futerału przy pasie. James mówił dalej:

– Oficjalnie nie będziesz już dla nich problemem. Przestaną się tobą interesować. Co oznacza, że możemy połączyć siły i się na nich odegrać. Co ty na to?

To ci dopiero – pomyślał Beck. Oparł się o skałę i próbował poukładać sobie to wszystko w głowie.

Ale nie potrafił. Szczerze mówiąc, wciąż nie ufał Jamesowi. Gorzkie doświadczenie nauczyło go, że chłopak potrafi sprzedać swoje kłamstwa tak przekonująco, że wydają się prawdą. Czemu teraz miałoby być inaczej? A to, że powiedział dokładnie to, co Beck chciał usłyszeć, tylko wzmagało jego podejrzliwość.

– No a czemu powinienem ci zaufać? – zapytał wprost.

Jamesowi zrzedła mina, jakby rozmówca kopnął właśnie jego szczeniaka. Beck jednak musiał się upewnić. Jak na razie James opowiedział mu ciekawą historyjkę. Potrzebny był jeszcze dowód.

– Oho – rzucił nagle Ian, patrząc przez lornetkę. – Mamy towarzystwo. I to nie z gatunku tych przyjemnych.

Beck i James się podnieśli. Wytężyli wzrok, próbując zobaczyć, o kogo chodzi. Horyzont był już zbyt ciemny, by rozróżnić jakiekolwiek szczegóły, ale Beck słyszał przytłumione ryki silników aut mknących po trawie.

– Strażnicy? – zapytał James.

– Nie w takich rozklekotanych rzęchach jak te. Nie. To chyba znajomi kłusownicy Becka.

ROZDZIAŁ 47

– Co? – zakrzyknął James. – Niemożliwe! Nie mogą wciąż za nim gonić!

– Nie gonią za mną – mruknął Beck. Nadciągające siły to nie było tylko kilku kłusowników szukających pary irytujących dzieciaków. To była żądna zemsty miniaturowa armia. – Gonią faceta, który podziurawił kulami ich obóz. W dżipie łatwiej cię było wytropić.

– Cóż. Wybacz. – Na przekór słowom Ian nie wyglądał na skruszonego, gdy odkładał lornetkę na miejsce.

Beck patrzył jak we śnie na mężczyznę zdejmującego broń z ramienia i zaczynającego ją unosić.

– Nie!

Ian zawahał się i spojrzał krzywo na Becka.

– Chcecie, żebyśmy współpracowali? – warknął chłopiec. – To będziecie trzymali się moich zasad, a jedną z nich jest: nie zabijamy!

– Nawet tych, którzy chcą zabić ciebie? – nie dowierzał Ian.

– Nawet tych.

Mężczyzna zawiesił karabin na ramieniu i westchnął.

– I tak nie dałbym rady wszystkim. – Omiótł szybko wzrokiem skupisko skał. – Poza tym nie utrzymamy tej pozycji. No dobra, specu od survivalu, co proponujesz?

Nie mieli wielkiego wyboru. Beck spojrzał na *veld* i jego spojrzenie zatrzymało się na kępce drzew, które zauważył wcześniej.

– Uciekniemy. I się schowamy – zdecydował.

Do drzew było dalej, niż myślał – może ze dwieście metrów. Nogi prawie w ogóle nie zdążyły wypocząć po gorączkowej ucieczce przed watahą. Uświadomił sobie, że wlecze się z tyłu za resztą, która co sił pędzi pod osłonę.

– Widzieli nas? – wydyszał James.

– Wątpię – mruknął Ian. – Byliśmy w cieniu. Szybciej, Beck!

Kłusownicy nadciągali od wschodu, patrzyli więc pod światło zachodzącego słońca, a skały i ich samych widzieli jako ciemną bezkształtną masę. Taką przynajmniej Beck miał nadzieję.

– Ale szybko odkryją dżipa – dodał Ian – i domyślą się, że jesteśmy gdzieś blisko.

Po drodze starali trzymać się skał, żeby ukryć się przed wzrokiem kłusowników. Zatrzymali się pod osłoną liści, schowali się za smukłymi pniami i wyjrzeli zza nich na napastników, których auta otoczyły skały. Wokół zaroiło się od uzbrojonych mężczyzn. Prędzej czy później któryś z nich pomyśli, żeby poszukać wśród drzew. I faktycznie, Beck widział już twarze zwrócone w ich stronę. Szybko się schował. Nie było krzyków ani zamieszania, więc go nie zauważyli. Jednak gdy wyjrzał ponownie, zmierzali już w ich kierunku.

– Wycofujemy się – zarządził Ian. Beckowi i Jamesowi nie trzeba było dwa razy powtarzać. Zanurzyli się głębiej między drzewa.

Niedługo potem znaleźli się w środku kępy, gdzie drzewa porastały brzegi niegdysiejszego wodopoju, który częściowo wysechł i był teraz jedynie mulistym bagnem.

Pogoń się zbliżała – słyszeli już męskie głosy.

– Dobra – odezwał się Ian. Zdjął karabin z ramienia. – Zrobimy tak: wy dwaj uciekajcie, a ja ich czymś zajmę. Mogę się tak zakrzątnąć, że pomyślą, że jestem małą armią. Może uda mi się ich spowolnić...

– Zabiją cię! – przeraził się James.

Mężczyzna wzruszył ramionami.

– Wszyscy kiedyś umrzemy...

– Nikt nie będzie umierał! – warknął Beck. – Ukryjemy się i tyle. – Przykucnął nad błotem.

– I co, wdrapiemy się na kolejne drzewo? – zadrwił Ian. – A może po prostu wykopiemy dół?

– Drzewo – odparł Beck. Podniósł się z garścią gęstego, lepkiego błota o intensywnym zapachu ziemi i zgniłej roślinności. Wsadził w nie palec i pociągnął nim po twarzy, tak jak rano posmarował nim Samorę. – I kamuflaż.

James spojrzał na błoto z odrazą, ale powoli wyciągnął po nie rękę. Oczy Iana rozświetliły się z uznaniem.

– Dobry pomysł. – Nabrał trochę błota i odwrócił się do Jamesa. – Ja cię wysmaruję.

Beck skupił się na sobie, podczas gdy Ian zajął się Jamesem, rysując ciemne linie z przodu jego beżowego T-shirta.

– Będzie się rzucało w oczy z daleka. – Chlapnął garść błota w ręce chłopca. – Posmaruj sobie też nogi.

Mężczyzna zajął się swoją twarzą. Tymczasem Beck wdrapywał się już na drzewo. Po chwili Ian podsadził tam Jamesa.

– Powinniśmy się rozdzielić. Znajdę inne – rzucił mężczyzna, odchodząc.

Chłopcy spojrzeli po sobie w mroku. Beck leżał na jednej gałęzi, James przykucnął w miejscu, gdzie łączyła się z pniem. Doprawdy dziwnie było zostać sam na sam z kimś, kto kiedyś chciał cię zabić – i możliwe, że nadal chce.

Oczy Jamesa były szerokie i ufne, a Beck bardzo chciał uwierzyć w jego opowieść. Wiedział też jednak, jak dobrym aktorem potrafi być chłopak.

Zmagał się z wyborem między baczeniem na Jamesa a obserwowaniem kłusowników, co oznaczało odwrócenie się do niego plecami. W końcu zdecydował, że uzbrojeni napastnicy stanowią większe zagrożenie, więc odwrócił się i położył na gałęzi, spoglądając w dół.

Wtedy zobaczył mężczyzn wchodzących na polanę.

ROZDZIAŁ 48

Kłusownicy zatrzymali się na obrzeżu drzew i powoli rozeszli w różne strony. Okrążyli błotnistą dziurę, trzymając przed sobą karabiny i zaglądając w cienie to pod krzakami, to pod gałęziami.

Beck zastygł w bezruchu. Każde drgnięcie mogło go zdradzić. Żałował, że nie pomyślał, żeby udzielić tej rady Jamesowi.

Nigdy wcześniej nie musiał pokładać takiej nadziei w kamuflażu. Czy to coś da? Czy naprawdę zadziała? James był tuż przy nim i w ogóle nie wyglądał, jakby się zamaskował. Wyglądał po prostu jak średniej wielkości nastolatek z twarzą wysmarowaną błotem.

Pytanie jednak, jak wyglądał z odległości kilku metrów, zlewając się z cieniami rzucanymi przez gałęzie i liście. To było najważniejsze.

Mężczyźni na dole rozmawiali półgłosem. Choć Beck nie znał portugalskiego, nie miał problemu ze zrozumieniem jednego nerwowego zdania: „Ele está armado". Ma broń. Mężczyzna wydawał się niespokojny, i nie bez kozery. Tropić zwierzynę to jedno. Ale co innego wiedzieć, że zwierzyna ta jest uzbrojona, czai się gdzieś w pobliżu i prawdopodobnie cię widzi, choć ty nie widzisz jej.

Tych na dole było więcej. Beck słyszał, jak pozostali przedzierają się przez drzewa. Gdy jeden z nich pojawił się tuż pod ich drzewem, serce chłopaka zabiło mocniej. Mężczyzna był tak blisko, że Beck mógłby strącić mu patykiem kapelusz z głowy.

James drgnął. Malutki kawałek kory oderwał się i spadł prosto pod stopy kłusownika. Ten zatrzymał się i rozejrzał wokół siebie. A potem odszedł. Kamuflaż zadziałał.

Kłusownicy szukali przez niemal godzinę. W tym czasie zaszło słońce i drzewa oświetlał już księżyc. Znalezienie trzech zamaskowanych zbiegów, wcześniej i tak trudne, stało się w zasadzie niemożliwe. Beck słyszał, że ich głosy się podnoszą, coraz bardziej wściekłe. Zastanawiał się, jakich ciekawych inwektyw po portugalsku mógłby się nauczyć, gdyby je tylko rozumiał.

Nagle zaczęli się wycofywać. Ktoś krzyknął parę rozkazów i ruszyli z powrotem. Zniknęli pomiędzy drzewami, a Beck słyszał, jak ich kroki się oddalają.

James szturchnął nogę Becka, by zwrócić jego uwagę, potem wskazał na ziemię, unosząc brwi z niemym pytaniem, czy powinni już zejść.

Beck ucieszył się, że chłopak ma na tyle rozsądku, by zachować ciszę. Może kłusownicy tylko udawali, chcąc ich wywabić z kryjówki... Pokręcił głową. Lepiej było chwilę zaczekać.

Zobaczyli jednak idącego w ich stronę Iana skąpanego w świetle księżyca. Mężczyzna spojrzał na drzewo obok nich.

– Poszli – powiedział liściom nad głową.

– Tutaj – szepnął James i zaczął schodzić.

Nie było krzyków ani wystrzałów, więc Beck zsunął się z gałęzi i podążył w dół za poprzednikiem.

– Udało się! – Twarz Jamesa wydawała się promienieć jak księżyc na niebie. – Naprawdę się udało! To było genialne!

Ian poklepał Becka po ramieniu.

– Dobra robota, mały. To na czym to stanęl...

Beck poczuł coś dziwnego, obcego i sztucznego. Zmarszczył nos.

– Hej, czujecie...

Buch.

Spod drzew wystrzeliła ściana ognia. Rozeszła się na prawo i lewo, a między liśćmi zamigotało pomarańczowe światło. Drzewa w kilka sekund stanęły w płomieniach. Afrykańskie nocne ptaki i owady zaskrzeczały i zabzyczały w proteście.

– ...benzyna – dokończył Beck.

Najwyraźniej kłusownicy oblali kanistrami skraj drzew, a potem to podpalili. Skoro nie mogli znaleźć zwierzyny, wybrali drugą najlepszą opcję. Chcieli wykurzyć ją ogniem.

Beck, James i Ian znaleźli się w samym środku ognistego pierścienia.

ROZDZIAŁ 49

Nawet w blasku płomieni twarz Iana wyglądała blado.

– Niedobrze. I co teraz?

– Możemy to przeczekać? – zapytał James. Stał na brzegu bagna. – Nie będzie się paliło bez końca, a tu ogień w ogóle nie dotrze. Nie ma roślin.

Miał rację – ogień nie sięgnie ich na środku tego błotnistego kawałka. Ale to nie było ich jedyne zmartwienie. Beck czuł już inne zagrożenie w powietrzu, które zaczęło drapać go w gardło.

– Tak, ale dojdzie aż do obrzeża, a my udusimy się od dymu. Musimy się stąd wydostać.

Robił to już raz w ramach ćwiczenia. W naturalnym lesie, pełnym obumarłego drewna i liści, nawet najmniejszy płomień może przerodzić się w rozszalałą, niepohamowaną pożogę. Były takie miejsca na ziemi, gdzie przeprowadzało się kontrolowane pożary, by pozbyć się naturalnej podpałki. Odwiedzili z Alem amerykański stan Georgia, gdzie jego wuj przekonywał mieszkańców do ochrony plantacji rzadkiego rodzaju drewna. Kiedy mieli akurat dzień wolny, Al namówił miejscowych strażaków, żeby pozwolili im wziąć udział w ćwiczeniu z kontrolowanym pożarem. To doświadczenie otworzyło chłopcu oczy, a teraz rozpaczliwie próbował sobie przypomnieć tę lekcję.

Amerykanie nauczyli go, żeby uciekać na obszar, który już strawił ogień, bo ten drugi raz już nie zapłonie. Problem w tym, że znajdował się on za płomieniami. Musieli się więc przez nie przedostać.

Tam! Płomienie po drugiej stronie polany wydawały się trochę ciemniejsze, trochę niższe... Muszą tylko znaleźć niewielką przerwę między drzewami, żeby się tam przedrzeć. Trudno byłoby ją zauważyć, gdyby nie ogień.

– Biegniemy w tę stronę – stwierdził Beck, wskazując. Szybko zmierzył wzrokiem pozostałą dwójkę. – Czy któryś z was nosi coś sztucznego? Coś, co nie ma stu procent bawełny?

– To – Ian dotknął koszulki w kolorze khaki.

– To zdejmij. Sztuczny materiał może się stopić i przywrzeć do skóry jak płonący plastik.

Mężczyzna zaczął rozbierać się do pasa.

– A ty, James?

– Nie, czysta bawełna. – A potem, ku zaskoczeniu Becka, chłopiec przykucnął i nabrał w złączone dłonie trochę błota i mulistej wody. Wylał je na czubek głowy, rozmazując po twarzy i wcierając we włosy. – Potrzebujemy ochrony, prawda? – wyjaśnił, trochę niewyraźnie, bo starał się nie otwierać ust. – Błoto ochroni naszą skórę...

– Dobry pomysł – pochwalił Beck. James naprawdę wyszkolił się w survivalu... I to samodzielnie, bo akurat tej sztuczki nie nauczył się od Becka. – Właściwie to posmaruj się cały. – Uśmiechnął się do Jamesa przez dym. – Wiesz, że masz ochotę!

Beck położył się i przetoczył kilka razy. Błoto było zimne i śliskie, ale czuł, jak oblepia go od stóp do głów. Podobnie jak James wysmarował nim całą głowę i twarz.

– Ty też, Ian...

Po chwili wszyscy byli cali umorusani i gotowi do starcia z ogniem.

– Ja pójdę przodem – zarządził Beck. – Biegnijcie szybko, ale też uważnie. Nie będziemy pędzić na złamanie karku, bo nie możemy sobie pozwolić na to, żeby się potknąć i stracić orientację. Determinacja, szybkość, ostrożność.

Naciągnął kołnierz koszuli na usta i nos.

– Wy też to zróbcie. To osłoni nas przez dymem. – Tym bardziej że jego koszula była przesiąknięta błotem, w którym się wytarzał. Wilgoć pochłaniała też cząsteczki dymu. – Gotowi?

– Eeee... – odezwał się James. – Skąd pewność, że nasi znajomi nie czekają na nas na zewnątrz, żeby nas wystrzelać?

Beck nabrał powietrza, żeby odpowiedzieć, ale ubiegł go Ian:

– Pewności nie ma – powiedział bez ogródek – ale jeśli tu zostaniemy, to zginiemy na bank. Zresztą, wątpię, żeby na nas czekali. Jeśli strażnicy parku zauważą płomienie, zlecą się tu jak rój much do łajna. Kłusownicy nie chcą mieć ich na karku. Wolą po prostu wyręczyć się ogniem.

– Tak, no cóż – rzekł Beck – bądźmy gotowi, gdyby jednak czekali. Możemy wykorzystać dym, mrok i zamieszanie, żeby się im wywinąć. Chodźcie.

Zakryli nosy i usta... a potem rzucili się w ogień.

ROZDZIAŁ 50

To kłóciło się z każdym instynktem Becka. Biegli w stronę ognia, a nie z dala od niego. Powietrze się rozgrzało. Dym coraz bardziej szczypał go w oczy i język. Nie było jednak innej drogi ucieczki.

Choć wypatrzył miejsce, w którym płomienie wydawały się najniższe, i tak ich otaczały z każdej strony. Objęte pożogą drzewa zamieniły się w wysokie, buzujące i trzaskające kolumny ognia. Chłopak starannie je omijał, ale malutkie języki płomieni lizały gałęzie i zarośla. Wokół nich unosiły się obłoki płonących liści i żarzących się węgielków.

Przypominało to bieg przez pole minowe, w którym miny ujawniają się nagle tuż pod twoimi stopami.

Beck próbował biec prosto do upatrzonego miejsca, ale było to niemożliwe. Musieli skręcać na boki, przeskakując z jednej strony na drugą, by ominąć płomienie.

Powietrze było gorące jak ukrop i gęste od dymu – prawie nie dało się nim oddychać. Pot ściekał po twarzy Becka i zmywał warstwę ochronną z błota. Oczy szczypały go jak po użądleniu przez owady, choć zwęził je w szparki i osłaniał dłońmi. Dym był zbyt gęsty, żeby widział, gdzie biegnie. Miał jedynie podstawowe poczucie kierunku, które mówiło mu, że wciąż zmierza we właściwą stronę.

I nagle – łup!

Beck krzyknął z bólu, padając bezwładnie na ziemię. Odniósł wrażenie, jakby ktoś zdzielił go kijem bejsbolowym w ramiona. Coś ciężkiego uderzyło go w plecy i przygniotło do ziemi. Ledwie świadomy, zauważył, że James i Ian przebiegają koło niego, nie zatrzymując się.

Próbował ich zawołać, ale tylko się zakrztusił. Nie odważył się nabrać wystarczająco dużo powietrza, żeby krzyknąć. Nie chciał wciągać całego tego dymu do płuc.

Odkręcił się na tyle, na ile mógł. Jego uda przygniatała zwalona gałąź. Miał szczęście, że uderzyła go lekko – kilka centymetrów wyżej i zaliczyłby nokaut.

Wtem zauważył z przerażeniem, że liście na końcu gałęzi zajęły się ogniem, który zaczyna się rozprzestrzeniać.

O nie! Zaparł się rękami o ziemię i podźwignął się z całej siły. We wszystkich stawach i posiniaczonych plecach odezwał się ból, ale Beck nie mógł ruszyć gałęzi. Zaryzykował kolejny rzut oka. Ogień się zbliżał, a żar był coraz większy.

Chłopak znał wiele rodzajów bólu – skaleczenia, siniaki, złamania. Ale oparzenia pamiętał tylko z czasów, gdy w dzieciństwie bawił się nierozważnie gorącym piecykiem. To nauczyło go szacunku do ognia. Teraz był uwięziony pod ciężarem, którego nie mógł unieść. Pomyślał, że jeśli szybko czegoś nie zrobi, to spłonie żywcem.

Spróbował jeszcze raz odepchnąć się od ziemi. Zacisnął zęby, ignorując strzykanie w obolałych mięśniach.

– Aaaaa!

Przed nim pojawiła się para stóp. Podniósł wzrok na Jamesa i dostrzegł bardzo dziwny błysk w jego oczach.

I nagle Beck nie był już w Afryce, uwięziony w płonącym lesie. Znalazł się na metalowej rampie przymocowanej do platformy wiertniczej na środku oceanu. James też tam był, szarpiąc razem z nim za rozporę, która przydusiła Abby. Poskręcany metal był jednak zbyt ciężki dla dwóch nastolatków. Wtedy Beck widział go po raz ostatni – aż do chwili, gdy spotkali się kilka dni temu.

Wtem znów znalazł się w Afryce, a James spoglądał na niego z góry. Teraz to Beck był w potrzasku, bezradny i bliski śmierci.

Przyciskający go ciężar lekko się poruszył. Beck odkręcił głowę. James stał przy końcu gałęzi, który nie zajął się ogniem. Owinął wokół niego ręce i zacisnął zęby z wyraźnym wysiłkiem.

– Rusz się! – zakrzyknął James. Beck zaparł się łokciami o ziemię i próbował się wyczołgać. Gałąź wciąż nie chciała go puścić. Przesunął się jedynie centymetr lub dwa.

– Ciągnij!

– Próbuję! – Po chwili wydusił: – Puszczam... Nie dam rady...

Raptem z dymu wyłonił się Ian. Szybko ocenił sytuację i podbiegł pomóc Jamesowi. Wspólnymi siłami unieśli gałąź, a Beck się spod niej wyczołgał. Próbował się podnieść, ale zbite plecy nie chciały się wyprostować. Krzyknął z bólu.

– Pomóż mu – rzucił Ian do Jamesa.

Stanęli po bokach, zarzucili sobie jego ręce na ramiona i pomogli mu pokuśtykać przez dym, oddalając się od płonących drzew.

ROZDZIAŁ 51

Gdy wynurzyli się z płomieni, padli na ziemię, wstrząsani kaszlem. Ich płuca rzęziły, a piersi falowały ciężko, próbując zaczerpnąć powietrza.

Przez chwilę nikt się nie odzywał. W końcu Ian pomógł chłopcom się podnieść i razem powlekli się do skał, gdzie wcześniej psy otoczyły Becka. To był bardzo charakterystyczny punkt krajobrazu.

– Ani śladu kłusowników – zauważył mężczyzna. – Tyle dobrego. OK, wy dwaj tu zaczekacie. Odsapnijcie trochę. To może chwilę potrwać...

I zagłębił się w mrok, próbując znaleźć ukrytego czarnego dżipa.

Przez jakiś czas chłopcy siedzieli w milczeniu, oddychając czystym powietrzem i przyglądając się gorejącym drzewom jakieś dwieście metrów dalej. Na szczęście płomienie się nie rozprzestrzeniały. Ziemia była na tyle wilgotna, że tworzyła naturalny pas przeciwpożarowy. Słup brzydkiego gęstego dymu przesłaniał gwiazdy na niebie. Nic nie mogło przeżyć w tym piekle.

James szturchnął Becka i uśmiechnął się szeroko.

– Teraz mi ufasz?

Beck był zbyt zmęczony, by dużo mówić, ale zdobył się na uśmiech.

– Tak... ufam ci. Dziękuję.

Znów nastała cisza.

– No i co teraz? – przerwał ją Beck. – Nie chciałeś wyrwać mnie z Londynu tylko po to, żeby ocalić mi życie, chociaż, dzięki, tak swoją drogą. Miałeś jakiś inny powód, żeby mnie tu ściągnąć. Mówiłeś coś o odegraniu się na Lumosie?

– Oto, co teraz zrobimy. Twój wuj wróci do Anglii i powie wszystkim, że nie żyjesz. Ian wróci do Lumosu i będzie naszym szpiegiem. A ja wrócę do bycia rozpieszczonym dziedzicem fortuny.

Beck uśmiechnął się blado.

– A ja?

270

– Ty się przyczaisz. Choć raz możesz cieszyć się anonimowością!

– Ale... Nie powiedziałeś mi jeszcze, co zrobimy. Jak odegramy się na Lumosie?

– Och, odegramy się na całego – wyjaśnił James z pewnością siebie. – Czego tam nie ma? Korupcja, morderstwo... I mamy dowody.

– Gdzie?

– Ach. – James się skrzywił, ale tylko odrobinę. – I w tym sęk. Musimy dopiero je zdobyć... – Urwał i odwrócił się na dźwięk nadjeżdżającego auta. – Dobrze, jest Ian.

Widok dwóch rozkołysanych reflektorów, które się do nich zbliżały, był miły dla oka, bo oznaczał, że kłusownicy nie znaleźli dżipa. Ian zatrzymał auto i wyjrzał przez okno.

– Podsłuchuję częstotliwość strażników parku. Są już zgłoszenia o pożarze. Będą tutaj o świcie. Lepiej, żeby nas tu nie było.

– Czemu? – zdziwił się Beck.

Ian spojrzał na niego z ukosa.

– Może jeszcze do ciebie nie dotarło, mały, ale nie żyjesz. Postarajmy się, żeby tak już zostało.

Chłopcy wdrapali się na tylne siedzenia dżipa, a Ian ruszył przez *veld*.

– Dobra... – Beck zaczynał oswajać się z tą myślą. Mogło być całkiem zabawnie. – A więc nie żyję. Ale czekajcie, najpierw musimy znaleźć Samorę i wrócić do wuja Ala. Na pewno okropnie się martwi! – Nagle poczuł się winny, że w zamęcie ostatnich godzin ani razu nie pomyślał o Samorze. – Ona wciąż myśli... że dorwały mnie psy...

Zamilkł, widząc jedną twarz, która wyglądała na niezadowoloną (Jamesa), oraz drugą, twardą i niezgłębioną (obicie Iana w lusterku).

– No co? – zapytał.

– Nie możesz powiedzieć żadnemu z nich, Beck – wyjaśnił łagodnie James. – Oni też muszą w to uwierzyć.

– Nie ma mowy! – odciął się Beck. – Oni potrafią dochować tajemnicy. Potrafią...

– Beck – odparł szorstko Ian. – Wiesz, jaką dobrą aktorką jest ta Samora? Bo ja nie wiem. Lumos prześwietli tę historię od A do Z. Rozbierze ją na części pierwsze i weźmie wszystkie szczegóły pod lupę. Wystarczy jedna nieścisłość, żeby wszystko się posypało. Samora i twój wuj muszą w to uwierzyć, a Lumos musi to widzieć, żeby i oni w to uwierzyli. Oczywiście, możemy im powiedzieć, ale dopiero kiedy będzie po wszystkim.

Beck jęknął. Rozumiał Iana, ale wydawało mu się to takie okrutne. Wiedział, co znaczy stracić najbliższych. Nie chciał robić tego swojej przyjaciółce, tym bardziej że to nawet nie była prawda.

No i Alowi... Jak mógł zrobić coś takiego wujowi?

— Powiedzcie mi, co planujecie — odparł cicho. — Zaczynając od miejsca, gdzie znajdziemy dowody. I wtedy zdecyduję, czy warto to przed nimi ukryć.

— Nie — rzucił od razu Ian.

— Tak — sprzeciwił się James, a Beck po raz pierwszy usłyszał władczą nutę w jego głosie. James był wychowywany na przyszłego prezesa Lumosu. Ktoś musiał go nauczyć, jak być przywódcą, nawet jeśli cały czas się przed tym bronił.

Ian zamilkł, a potem wzruszył ramionami.

– Ty jesteś szefem.

– Kiedyś będę... – James nachylił się do Becka z łobuzerskim uśmiechem na ustach. Zakołysał brwiami. – No więc... byłeś kiedyś w Himalajach?

EPILOG

– Nazywam się Beck Granger. Przeżyłem wiele
przygód w najbardziej ekstremalnych rejonach
na ziemi. Ale w tej chwili nosorożce w Republice Południowej Afryki same toczą walkę
o przetrwanie.

Twarz Becka wypełniła ekran, oczy zwęziły się
w przeszywające szparki. Wyraz twarzy świadczył
o absolutnej determinacji. Włosy zwichrzył mu
lekki powiew.

Kamera oddaliła się, ukazując Becka w szer-
szym kadrze. Na trawie za nim spokojnie pasł się
nosorożec. Beck obrócił się, by spojrzeć na niego
przez chwilę, a potem z powrotem zwrócił się do
kamery.

– Niektórzy powiedzą, że ta walka już jest przegrana, że jest już za późno, żeby je uratować. Ale podczas moich przygód nauczyłem się na pewno jednego. „Nigdy się nie poddawaj". Nieważne, jak rozpaczliwa wydaje się sytuacja, nigdy, przenigdy, się nie poddawaj.

Obraz zastygł, a potem pociemniał, przechodząc w ujęcie kobiety stojącej niemal w tym samym miejscu co Beck. Jednak w odróżnieniu od niego kobieta trzymała w ręce mikrofon z logo kanału informacyjnego. Kiedy spojrzała w kamerę, twarz miała poważną i opanowaną.

– To ostatnie znane zdjęcia Becka Grangera, który zniknął niedługo po ich nagraniu i przypuszczalnie zmarł. Beck przyleciał tutaj, do RPA, nagrać klip z ekspertką od dzikich zwierząt, Atheną Saperą, by zwiększyć świadomość zagrożeń, z którymi zmagają się nosorożce. I całkiem możliwe, że chociaż nie ma go już z nami, odniósł sukces większy, niż mógł sobie wymarzyć w najśmielszych snach.

Kolejne przejście, tym razem na budynek sądu w Johannesburgu. Policja wprowadzała do niego trzech mężczyzn w kajdankach, otoczonych przez fotografów. Kobiecy głos w tle kontynuował:

– Beck i jego przyjaciółka, Samora Peterson, zdołali namierzyć dowody, które doprowadziły do rozbicia wielkiego gangu kłusowników nosorożców. Do tej pory aresztowano trzy osoby, ale spodziewane są kolejne zatrzymania. Jeśli oskarżeni zostaną skazani, Samora będzie się mogła ubiegać o nagrodę za informacje w wysokości miliona randów. Według rzecznika rodziny, dziewczynka zobowiązała się już do zwrócenia pieniędzy, by dalej walczyć z kłusownictwem.

Teraz na ekranie ukazała się zbliżająca się do tego samego sądu Samora. Eskortowana była przez ojca, Bonganiego, i kilku strażników parku dobranych ze względu na wzrost i masę tak, żeby mogli odgrodzić ją od dziennikarzy. Mimo tego reporterka z mikrofonem zdołała się przez nich przecisnąć.

– Samora! Samora! Kiedy po raz ostatni widziałaś Becka Grangera?

Jeden ze strażników wyglądał, jakby miał ją zaraz odepchnąć, ale Samora go powstrzymała. Spojrzała w kamerę wciąż nieco zaczerwienionymi i opuchniętymi oczami. Jej głos był opanowany, ale widać było, jak bardzo musi się wysilać, żeby się nie rozpłakać.

– Beck i ja uciekaliśmy przed watahą dzikich psów. Sądzę, że celowo wziął je na siebie, żeby pogoniły za nim, a mnie zostawiły w spokoju. – Jej głos zaczął drżeć. – Był najodważniejszym chłopcem... – Urwała, a po chwili podjęła: – Poprawka. Był najodważniejszym mężczyzną, jakiego w życiu poznałam.

Jeden ze strażników odciągnął ją, zanim zupełnie się rozkleiła. Kamerzysta dał jej spokój i obraz przeniósł się z powrotem na kobietę w Parku Narodowym Krugera.

– Nasza stacja próbowała skontaktować się z wujkiem i opiekunem Becka, profesorem sir

Alanem Grangerem. Był zbyt zdenerwowany, by wystąpić przed kamerą, ale wydał oświadczenie.

Zaczęła czytać z kartki:

— *Nie tracę nadziei, że Beck wciąż żyje, ale wiem, że z każdym upływającym dniem jego odnalezienie staje się coraz mniej prawdopodobne. Chciałbym złożyć hołd jego życiu, wartościom, które wyznawał, i jego całkowitemu poświęceniu dla ochrony świata, w którym żyjemy. Wiem, że jego wysiłki nie pójdą na marne, i że okaże się ogromnym źródłem inspiracji dla wielu, którzy podejmą to dzieło.*

Ostatnie, poważne spojrzenie w kamerę.

— Mówiła Serena Vorster, a teraz oddaję głos do studia...

Obraz zniknął, gdy palec pstryknął przycisk pilota. Na twarz wysokiego starszego mężczyzny o szczupłej sylwetce, siedzącego w obitym dębiną gabinecie, wypłynął uśmiech. Był łysy, jeśli nie liczyć okalającego czaszkę wąskiego pasa siwych włosów. Szyję miał długą i chudą, a ramiona przygarbione.

Edwin Blake zawsze przypominał Ianowi krążące nad padliną sępy, które widział w RPA. Kiedy starzec się uśmiechał, jego usta poruszały się po kawałku, jakby każdy mięsień z osobna przypominał sobie, do czego służy.

– Pokaż mi trofeum – poprosił Blake.

Ian wyjął z foliowej torby u swoich stóp koszulę safari w kolorze khaki. Była podarta, postrzępiona i przesiąknięta zakrzepłą już ciemnobrązową krwią.

– DNA się zgadza – poinformował szefa.

To rzeczywiście była krew Becka. Rozstał się z nią bez bólu w gabinecie zabiegowym w Johannesburgu. Sam wpadł na ten pomysł.

Starzec wziął koszulę z namaszczeniem, jakby dotykał świętej relikwii.

– Widziałeś, jak umiera?

Ian pokręcił głową.

– Dotarłem tam zbyt późno, panie Blake. Ale słyszałem wrzaski. Został rozerwany na strzępy.

Blake przez chwilę milczał. Zamknął oczy i kołysał się z boku na bok. Wyglądał, jakby w skupieniu wsłuchiwał się w płynącą z oddali piękną muzykę.

– A więc w końcu pozbyliśmy się Becka Grangera na dobre. – Otworzył oczy i oddał koszulę
Ianowi. – Spal ją i odpocznij. Wróć tu jutro. Czeka
nas bardzo dużo pracy, skoro dzieciak w końcu nie
żyje.

Zaplatanie liny plecionej

Lina pleciona oznacza każdą linę wykonaną ze skręconych ze sobą włókien.

Etap 1

Chwyć długie pojedyncze włókno. Skręć je wielokrotnie w jednym kierunku, aż otrzymasz naturalne zapętlenie.

Etap 2

Odłóż mniej więcej jedną trzecią długości włókna. Oprzyj się pokusie, by odłożyć ją w połowie, ponieważ tym sposobem otrzymasz słabszy produkt końcowy.

Etap 3

Złap zgięcie między kciukiem a palcem wskazującym jednej dłoni. Połóż złożone włókno na kolanie i użyj otwartej dłoni wolnej ręki, by potoczyć ją od siebie w pełnym skręcie. Na tym etapie nie próbujesz sprawić, żeby włókna zachodziły na siebie. Chcesz skręcić każdy kawałek włókna z osobna.

Etap 4

Dalej dociskając otwartą dłoń do kolana, by lina się nie odkręciła, puść koniec w drugiej dłoni. Lina powinna się elegancko skręcić.

Etap 5

Złap linę między kciukiem a palcem wskazującym w miejscu, gdzie kończy się skręt, i powtórz cały proces, aż znajdziesz się 4–5 centymetrów od najkrótszego końca. Następnie przyłóż do niego kolejne włókno i powtórz cały proces jak poprzednio. Nowe włókno automatycznie splecie się z istniejącą liną. Kiedy skończysz zawijać linę, po prostu zawiąż ją na luźnym końcu, żeby się nie rozwinęła. Jeśli jest na to za gruba, możesz zawiązać wokół końca osobne włókno.

Gotowa lina będzie o wiele mocniejsza niż pojedyncze włókno, ale możesz ją jeszcze wzmocnić, odkładając już splecioną linę i powtarzając cały proces od nowa. Jeśli chcesz to zrobić, pamiętaj, żeby potoczyć ją w przeciwną stronę niż za pierwszym razem.

O AUTORZE

Bear Grylls od zawsze kocha przygody. Alpinista, od-
krywca, ma czarny pas w karate. Przeszedł szkolenie
w brytyjskich oddziałach specjalnych SAS, gdzie nauczył
się sztuki przetrwania. W wieku 21 lat przeżył ciężki
wypadek podczas skoku spadochronowego – złamał krę-
gosłup w trzech miejscach. Mimo to po dwóch latach
rehabilitacji zrealizował swe dziecięce marzenie i jako
najmłodszy Brytyjczyk w historii stanął na szczycie Mount
Everestu. Wyczyn ten odnotowano w *Księdze rekordów
Guinnessa*. Jest znany dzięki swym fascynującym wypra-
wom oraz programom, które przed telewizorami groma-
dzą ponad miliard widzów w 150 krajach.

    Gniew nosorożca to kolejna część ekscytującej serii dla
młodzieży *Misja: przetrwanie*, autorstwa mistrza survivalu, Beara Gryllsa.

Tytuł oryginalny: *Rage of the Rhino*
Autor: Bear Grylls
Tłumaczenie: Kamil Lesiew
Redakcja: Bartosz Szumowski
Korekta: Aleksandra Tykarska
Skład: Jerzy Najder
Ilustracja: Michał Sowa
Projekt graficzny okładki: Marcin Pytlowany
Zdjęcia: Discovery s. 287, Shutterstock/Nebojsa Kontic (ikonka
nosorożca)
Mapy: Jacek Majerczak

Redaktor prowadzący: Agnieszka Górecka
Redaktor naczelna: Agnieszka Hetnał

Copyright © Bear Grylls Ventures 2014
Translation copyright © Wydawnictwo Pascal 2016

Ta książka jest fikcją literacką. Jakiekolwiek podobieństwo do rzeczywistych osób, żywych lub zmarłych, autentycznych miejsc, wydarzeń lub zjawisk jest czysto przypadkowe. Bohaterowie i wydarzenia opisane w tej książce są tworem wyobraźni autora bądź zostały znacząco przetworzone pod kątem wykorzystania w powieści.

Wszelkie prawa zastrzeżone. Żadna część tej książki nie może być powielana lub przekazywana w jakiejkolwiek formie bez pisemnej zgody wydawcy, za wyjątkiem recenzentów, którzy mogą przytoczyć krótkie fragmenty tekstu.

Bielsko-Biała 2016
Wydawnictwo Pascal sp. z o.o.
ul. Zapora 25
43-382 Bielsko-Biała
tel. 338282828, fax 338282829
pascal@pascal.pl, www.pascal.pl

ISBN 978-83-7642-704-1

Wydrukowano na papierze Creamy Hi Bulk 53 g dostarczonym przez Zing Sp. z o.o.